#하루에_조금씩
#쑥쑥_크는
#어휘력 #사고력

똑똑한
하루 어휘

Chunjae
Makes
Chunjae

▼

[똑똑한 하루 어휘 맞춤법+받아쓰기] 1단계 A

편집개발	김주남, 안정아
디자인총괄	김희정
표지디자인	윤순미, 안채리
내지디자인	박희춘, 이혜미
일러스트	김나나, 김수정, 김민주
제작	황성진, 조규영

발행일	2021년 12월 15일 초판 2023년 1월 15일 2쇄
발행인	(주)천재교육
주소	서울시 금천구 가산로9길 54
신고번호	제2001-000018호
고객센터	1577-0902

똑 똑 한

하루
어휘

맞춤법+받아쓰기

NEW!

1 단계

Ⓐ

1~2학년

130여 개의 어휘로 배우는
맞춤법+받아쓰기!

하루하루 공부할 차례

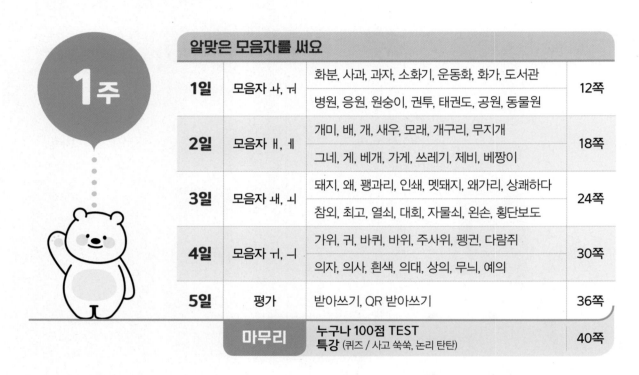

각 주별로 배우는 맞춤법과 받아쓰기 원리를 어휘 중심으로 정리했어요.
소리와 모양이 다른 말 쓰기부터 친구들이 가장 어려워하는 받침이 두 개인 말 쓰기까지
130여 개의 어휘로 공부해요!

맞춤법+받아쓰기,
이렇게 구성되어 있어요

맞춤법 원리를 정확하게 배우고 그림과 놀이를 통해 문장 안에서 낱말을 바르게 쓰는 활동을 해요. 한 주 동안 익힌 내용을 평가 문제와 받아쓰기로 확인하면 맞춤법과 받아쓰기를 똑똑하게 할 수 있어요! 또, 마무리 특강의 재미있는 문제들로 **사고력과 논리력도 쑥쑥!**

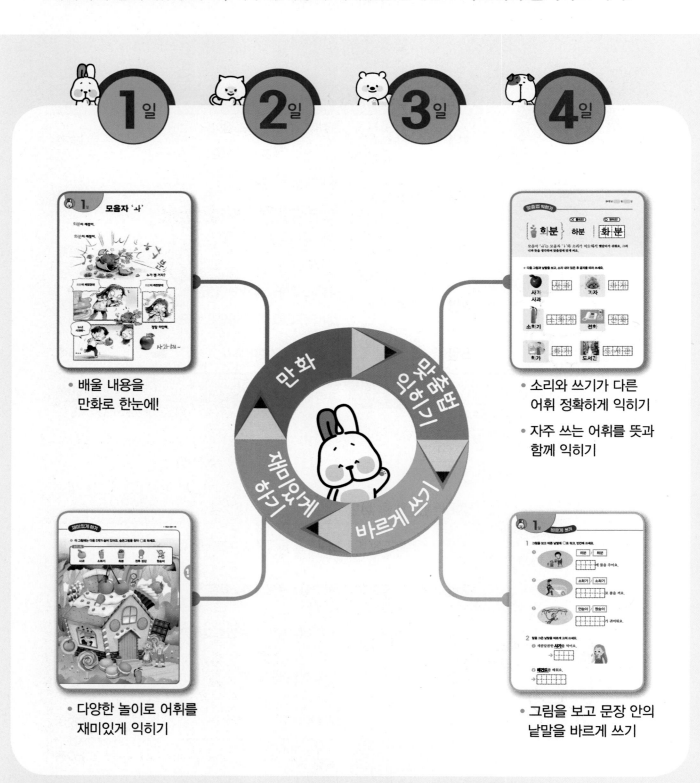

1일 • 배울 내용을 만화로 한눈에!

2일 • 소리와 쓰기가 다른 어휘 정확하게 익히기
• 자주 쓰는 어휘를 뜻과 함께 익히기

3일 • 다양한 놀이로 어휘를 재미있게 익히기

4일 • 그림을 보고 문장 안의 낱말을 바르게 쓰기

맞춤법+받아쓰기,
시작해 볼까요?

똑똑한 하루 어휘 <맞춤법+받아쓰기>는 하루에 여섯 쪽씩 공부하며 실력을 다질 수 있어요.
지금부터 **똑똑한 하루 어휘 <맞춤법+받아쓰기>**로 공부를 시작해 보세요!

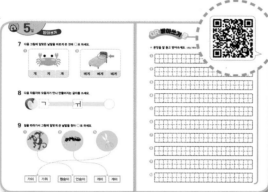

QR코드로 받아쓰기를 들을 수 있어요!
맞춤법과 받아쓰기를 똑똑하게 할 수 있어요!

받아쓰기 를 자신 있게!

- 받아쓰기를 하며 실력 마무리
- 띄어쓰기까지 함께 공부

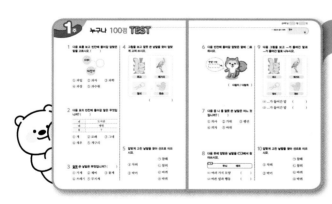

누구나 100점 TEST

- 다양한 문제를 풀면서 한 주에
  배운 어휘 확인
- 배운 내용을 정리하면서 맞춤법
  실력 확인

특강

- 배운 내용을 정리하며 사고력,
  논리력 증진

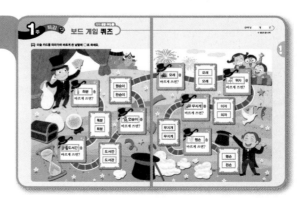

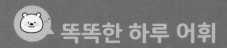

맞춤법, 받아쓰기  틀릴까요?
어떻게 해야 할까요?

낱말을 소리 나는
대로 쓰면 틀려요.

소리와 쓰기가 다른 낱말은
원리를 이해해야 해요.

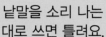

받침 ㄱ + ㅇ	이렇게 소리 나요!	이렇게 써요!
악어	[아거]	악 어

'악어'를 읽으면 '악'의 ㄱ 받침이 '어'와 만나 [아거]로 소리 나요. 하지만 쓸 때에는 받침 'ㄱ'을 그대로 살려서 써요.

뜻이 다르지만 소리가 같은
낱말을 자주 틀려요.

낱말을 외우지 않고 문장과
함께 이해 해야 해요.

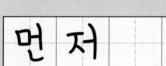 

친구가 먼저 갔다.

나와 친구의 나이가 같다.

띄어 쓰는 곳을 잘 몰라서
엉뚱하게 띄어 쓰거나
다 붙여서 써요.

어디에서 끊어 읽는지
주의하며 문장을 들어요.

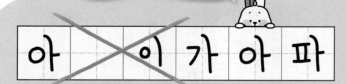

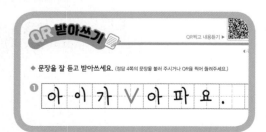

QR 받아쓰기

QR찍고 내용듣기 ▶

◆ 문장을 잘 듣고 받아쓰세요. (정답 4쪽의 문장을 불러 주시거나 QR을 찍어 들려주세요)

❶ 아 이 가 ∨ 아 파 요 .

나돌

나리의 남동생이에요. 아직 어려서 어눌하지만 항상 나리만 쫓아다니지요.

나리

막 초등학교에 입학해 1학년이 되었어요. 엉뚱할 때도 있지만 착한 아이랍니다.

우영

나리와 같은 학교 친구예요. 우영이는 나리 때문에 몸이 고생해요!

달래

나리와 친구인 여자아이예요. 나리보다 어른스럽답니다.

나리네 가족들

나리·나돌 남매의 소중한 가족이에요. 아버지와 어머니, 고양이 검정이와 하양이까지! 시골에 계신 할아버지와 할머니도 나리와 나돌이를 몹시 아껴 주신답니다.

⭐ 선을 따라가며 다음 모음자가 들어간 낱말을 살펴보세요.

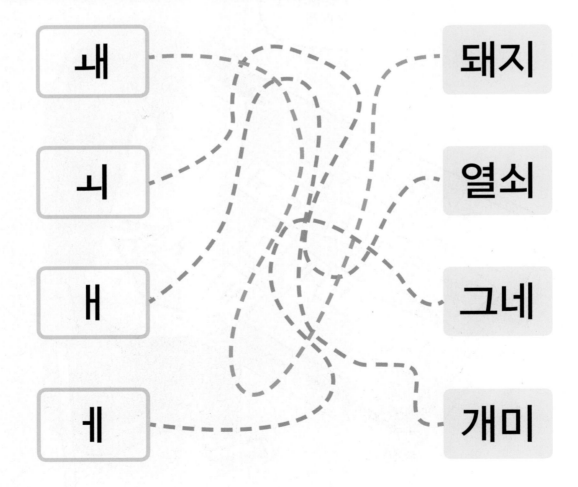

⭐ 모음자 '귀'가 들어간 낱말에 ○표 하세요.

흰색

귀

의자

원숭이

무지개

모음자 '과'

동생이 실수로 화분을 깨뜨렸어.

맞춤법 익히기

✕ 틀려요!　　　○ 맞아요!

 화분 〉 하분　│　화 분

모음자 'ㅘ'는 모음자 'ㅏ'와 소리가 비슷해서 헷갈리기 쉬워요. 그러니까 뜻을 생각하며 맞춤법에 맞게 써요.

◆ 다음 그림과 낱말을 보고, 소리 내어 읽은 후 글자를 따라 쓰세요.

 사과　　　 사 과

 과자　　　 과 자

 소화기　　　 소 화 기

 운동화　　　 운 동 화

 화가　　　 화 가

 도서관　　　 도 서 관

1일 모음자 'ㅝ'

아빠와 **병원**에 다녀왔어.

✕ 틀려요!　　　○ 맞아요!

 병원 ⟩ 병언 ┊ 병 원

1주

모음자 'ㅝ'는 모음자 'ㅓ'와 소리가 비슷해서 헷갈리기 쉬워요. 그러니까 바르게 소리 내어 읽고 맞춤법에 맞게 써요.

◆ 다음 그림과 낱말을 보고, 소리 내어 읽은 후 글자를 따라 쓰세요.

 응원　 응 원

 원숭이　 원 숭 이

 권투　 권 투

 태권도　 태 권 도

 공원　 공 원

 동물원　 동 물 원

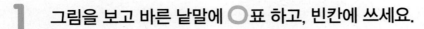

1 그림을 보고 바른 낱말에 ○표 하고, 빈칸에 쓰세요.

❶

| 하분 | / | 화분 |

| | | |에 물을 주어요.

❷

| 소화기 | / | 소하기 |

| | | | |로 불을 꺼요.

❸

| 언숭이 | / | 원숭이 |

| | | | |가 귀여워요.

2 밑줄 그은 낱말을 바르게 고쳐 쓰세요.

❶ 새콤달콤한 **사가**를 먹어요.

→ | | | |

❷ **태건도**를 배워요.

→ | | | | |

재미있게 하기

● 이 그림에는 다음 5개가 숨어 있어요. 숨은그림을 찾아 ◯표 하세요.

숨은그림

사과	소화기	화분	권투 장갑	원숭이

2_일 모음자 'ㅐ'

쉬는 시간 깜짝 퀴즈!
하늘에 있는 개는?

정답! 무지개!

정답! 번개!

맞춤법 익히기

X 틀려요!	O 맞아요!
게미	개 미

모음자 'ㅐ'는 모음자 'ㅔ'와 소리가 비슷해서 헷갈리기 쉬워요. 그래서 뜻에 맞는 글자의 모양을 생각하며 맞춤법에 맞게 써요.

◆ 다음 그림과 낱말을 보고, 소리 내어 읽은 후 글자를 따라 쓰세요.

배

개

새우

모래

개구리

무지개

모음자 'ㅔ'

놀이터에 **그네**를 타러 갔어.

아유, 이게 뭐야!

역시 그네가 최고!

쓰레기는 쓰레기통에!

맞춤법 익히기

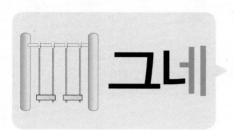

✗ 틀려요!	○ 맞아요!
그내	그네

모음자 'ㅔ'가 들어간 낱말을 소리 내어 읽어 보고 맞춤법에 맞게 써요.

◆ 다음 그림과 낱말을 보고, 소리 내어 읽은 후 글자를 따라 쓰세요.

게

베개

가게

쓰레기

제비

베짱이

1 그림을 보고 빈칸에 알맞은 낱말을 **보기** 에서 찾아 쓰세요.

보기 | 개미   그네   베개   베짱이

❶

차례대로 ⬚⬚ 를 타요.

❷

⬚⬚ 를 베고 자요.

❸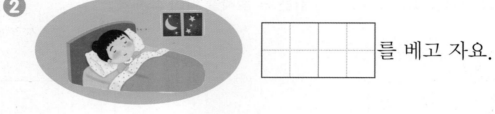

⬚⬚ 는 일하고,

⬚⬚⬚ 는 놀아요.

2 낱말 카드에 글자가 잘못 쓰여 있어요. 글자를 바르게 고쳐 쓰세요.

❶

개

⬇

⬚

❷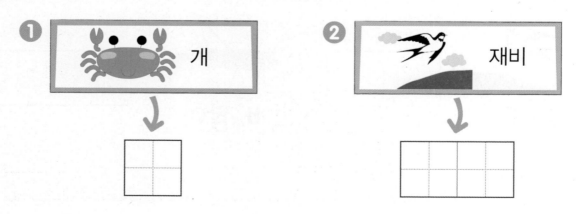

재비

⬇

⬚⬚

재미있게 하기

● 십자말풀이를 하고 있어요. 빈칸에 알맞은 글자를 써넣어 십자말풀이를 해 보세요.

모음자 'ㅐ'가
들어가는 글자를
생각해.

여기에는 모음자
'ㅔ'가 들어가는
글자를 써야 해.

모음자 '괘'

맞춤법 익히기

✕ 틀려요! ○ 맞아요!

돼지 | 되지 | 돼 지

모음자 'ㅙ'는 모음자 'ㅚ'와 소리가 비슷해서 헷갈리기 쉬워요. 그래서 뜻에 맞는 글자의 모양을 생각하며 맞춤법에 맞게 써요.

◆ 다음 그림과 낱말을 보고, 소리 내어 읽은 후 글자를 따라 쓰세요.

왜

왜

꽹과리

꽹 과 리

뜻 모양이 둥글고 채로 쳐서 소리를 내는 악기.

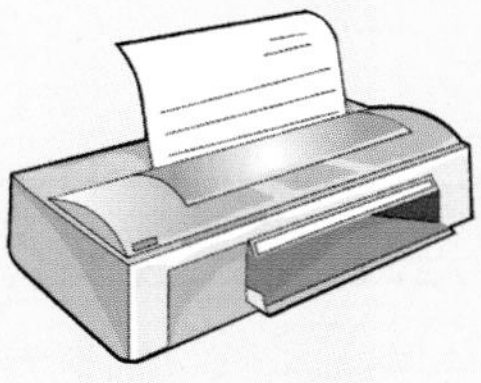

인쇄

인 쇄

뜻 종이에 글자나 그림을 찍는 것.

멧돼지

멧 돼 지

뜻 산에 사는 갈색 돼지.

왜가리

왜 가 리

뜻 다리와 부리가 긴 새.

상쾌하다

상 쾌 하 다

뜻 기분이 좋고 시원하다.

✕ 틀려요! **참왜**

○ 맞아요! **참 외**

모음자 '괴'가 들어간 낱말을 잘 기억해 두었다가 맞춤법에 맞게 써요.

◆ 다음 그림과 낱말을 보고, 소리 내어 읽은 후 글자를 따라 쓰세요.

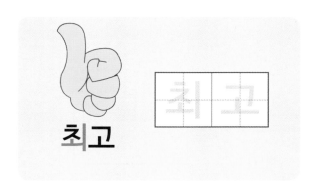

최고

열쇠

뜻 잠그거나 열 때 쓰는 물건.

대회

자물쇠

뜻 열쇠로 잠글 수 있는 물건.

왼손

횡단보도

뜻 찻길에서 사람이 건너다니는 길.

1 그림에 알맞은 낱말을 선으로 잇고, 그 낱말을 빈칸에 바르게 쓰세요.

❶

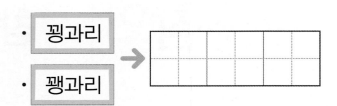
· 꾕과리
· 꽹과리

❷

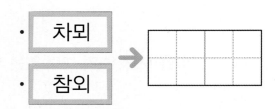
· 차뫼
· 참외

❸

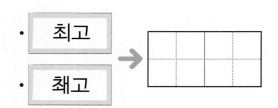
· 최고
· 쵀고

2 밑줄 그은 낱말을 바르게 고쳐 쓰세요.

❶  늦게 왔어?

→

❷ 파란불이 켜지면 **횡단보도**를 건너요.

→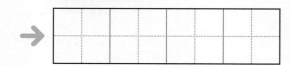

재미있게 하기

● 꿀벌이 집으로 가는 길을 잃어버렸어요. 바르게 쓴 낱말에 ◯표 하고 선을 그려서
꿀벌이 집으로 돌아갈 수 있게 도와주세요.

모음자 'ㅟ'

맞춤법 익히기

 가위　　가이　｜　가 위

모음자 'ㅟ'는 모음자 'ㅣ'와 소리가 비슷해서 헷갈리기 쉬워요. 글자의 모양을 잘 살펴보고 바르게 쓰도록 해요.

◆ 다음 그림과 낱말을 보고, 소리 내어 읽은 후 글자를 따라 쓰세요.

귀

바퀴
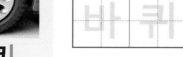

바위

주사위

펭귄

다람쥐

모음자 'ㅢ'

✕ 틀려요! 이자 **○ 맞아요!** 의 자

모음자 'ㅢ'도 모음자 'ㅣ'와 소리가 비슷해서 헷갈리기 쉬워요. 글자의 모양을 잘 살펴보고 맞춤법에 맞게 써요.

◆ 다음 그림과 낱말을 보고, 소리 내어 읽은 후 글자를 따라 쓰세요.

의사

의대
뜻 의사가 되기 위해 가는 학교.

얼룩말은 줄무늬가 있어요.

무늬
뜻 여러 가지 모양.

흰색

상의
뜻 위에 입는 옷.

예의 바르게 인사해요.

예의
뜻 바른 말과 행동.

1 다음 문장에 들어갈 바른 낱말에 ◯표 하고, 그 낱말을 빈칸에 쓰세요.

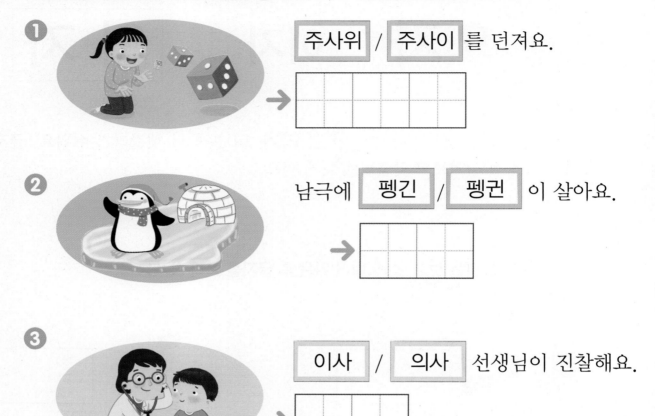

❶ 주사위 / 주사이 를 던져요.

❷ 남극에 펭긴 / 펭귄 이 살아요.

❸ 이사 / 의사 선생님이 진찰해요.

2 ☐ 부분의 낱말을 바르게 고쳐 쓰세요.

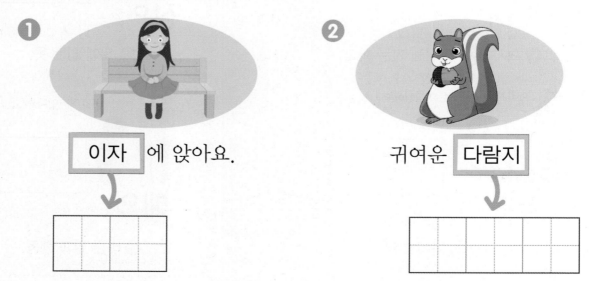

❶ 이자 에 앉아요.

❷ 귀여운 다람지

재미있게 하기

● 낱말을 바르게 쓴 것에 색칠해서 펭귄과 다람쥐 중에서 어떤 동물이 숨어 있는지 쓰세요.

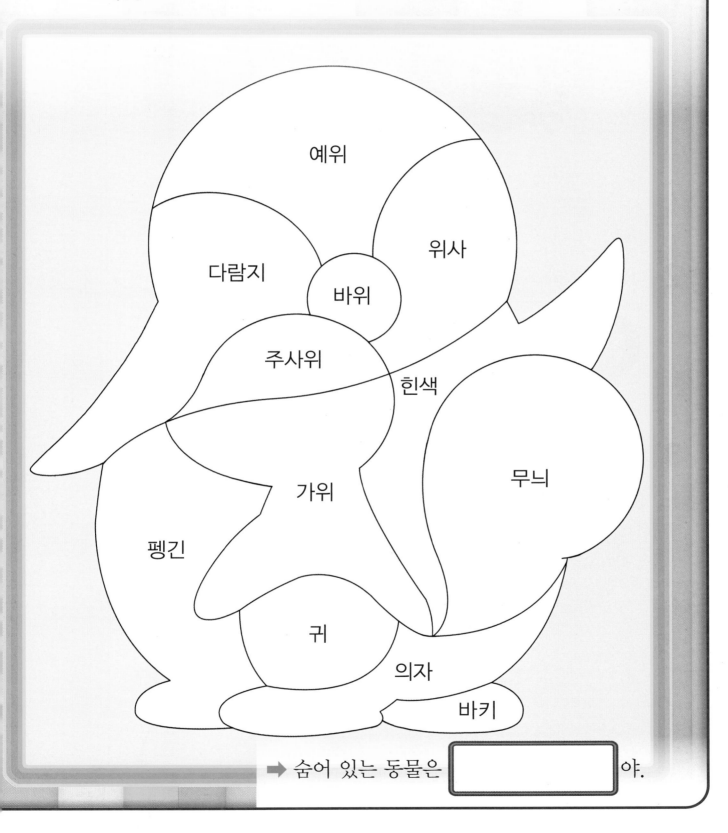

예위

위사

다람지

바위

주사위

힌색

가위

무늬

펭긴

귀

의자

바키

➡ 숨어 있는 동물은 [＿＿＿＿＿＿＿] 야.

1 다음 그림에 알맞은 낱말을 바르게 쓴 것에 ○표 하세요.

① 개 　 게 　 계

② 베게 　 배개 　 베개

2 다음 자음자와 모음자가 만나 만들어지는 글자를 쓰세요.

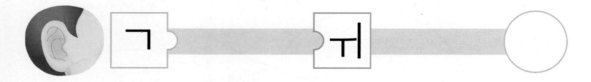

ㄱ　　ㅟ

3 길을 따라가서 그림에 알맞게 쓴 낱말을 찾아 ○표 하세요.

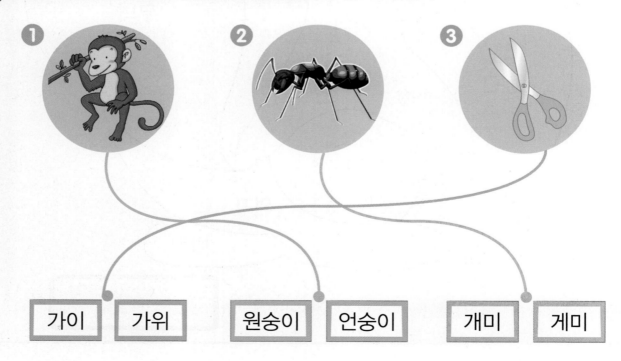

① 가이 　 가위 　 ② 원숭이 　 언숭이 　 ③ 개미 　 게미

4 밑줄 그은 낱말이 바른 것에는 ◯표, 틀린 것에는 ✕표 하세요.

❶ **예의** 바르게 인사해요.
    (   )

❷ **되지**가 꿀꿀 울어요.
    (   )

❸ **왼손**과 오른손은 서로 도와요.
    (   )

5 다음 ▨ 안에 알맞은 모음자를 쓰세요.

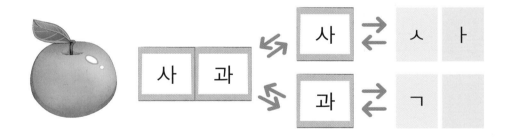

6 빈칸에 들어갈 낱말을 알맞게 이으세요.

· 바퀴

· 바키

❶ 두발자전거는 [   ]가 두 개예요. ·

❷ 힌 ·

흰 ·

· [   ] 구름이 둥실둥실 떠가요.

7 바르게 쓴 낱말이 있는 팻말에 ◯표 하고, 길을 그려 보세요.

출발 / 그내 / 배짱이 / 베짱이 / 그네 / 제비 / 재비 / 쓰래기 / 쓰레기 / 도착

8 ( ) 안의 바른 낱말에 ◯표 하고, 빈칸에 쓰세요.

❶ (횡단보도 / 행단보도)

에서는 조심히 다녀요.

❷ (바이 / 바위)

에 앉아서 쉬어요.

9 다음 카드에 쓰여 있는 낱말을 바르게 고쳐 쓰세요.

❶ 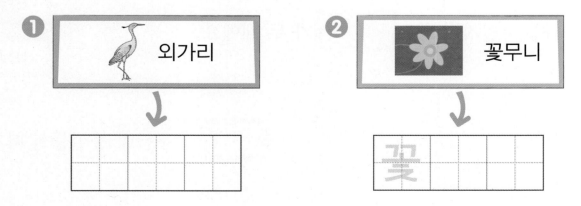 외가리

❷ 꽃무니

꽃			

1
주

◆ 문장을 잘 듣고 받아쓰세요. (정답 3쪽의 문장을 불러 주시거나 QR을 찍어 들려주세요.)

❶

❷

❸

❹

❺

여기에 틀린 글자를 다시 써 보세요.

누구나 100점 TEST

1 그림을 보고 잘못 쓴 낱말을 찾아 바르게 고쳐 쓰세요.

소화기　　　무지개

쓰래기　　　개구리

2 다음 뜻에 알맞은 낱말을 보기 에서 찾아 쓰세요.

> 보기
> 열쇠　　　횡단보도

(1) 잠그거나 열 때 쓰는 물건.

(　　　　)

(2) 찻길에서 사람이 건너다니는 길.

(　　　　)

3 다음 중 모음자를 바르게 쓴 낱말은 어느 것입니까? (　　　)

① 베개　　　② 게미

③ 그내　　　④ 무지게

⑤ 테권도

4 다음 낱말에 들어간 모음자를 찾아 선으로 이으세요.

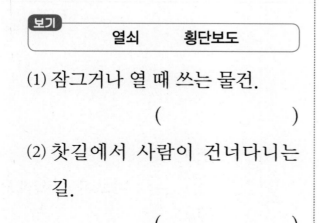

(1) 예의　　　·　　　· ㉠ ㅢ

(2) 권투　　　·　　　· ㉡ ㅙ

(3) 왜가리　　·　　　· ㉢ ㅝ

5 동물 이름을 바르게 쓴 것에 ○표 하세요.

(돼지 / 되지)

(다람지 / 다람쥐)

6 다음 그림에 알맞은 낱말을 쓰세요.

┌───┬───┬───┬───┐
│   │   │   │   │
├┈┈┈┼┈┈┈┼┈┈┈┼┈┈┈┤
│   │   │   │   │
└───┴───┴───┴───┘

7 바른 것에는 ○표, 틀린 것에는 X표 하세요.

(1) 노란 **참왜**를 먹어요.
　　　(　　　　)

(2) **왼손**으로 그림을 그려요.
　　(　　　)

8 알맞게 고친 낱말을 찾아 선으로 이으세요.

┌──────────┐
│ ① 도서간 │ •
└──────────┘
　　　　　　　　　• ㉠ 도서관

　　　　　　　　　• ㉡ 도서건

┌──────────┐
│ ② 동물언 │ •
└──────────┘
　　　　　　　　　• ㉢ 동물완

　　　　　　　　　• ㉣ 동물원

9 다음 중 'ㅟ'나 'ㅢ'를 <u>잘못</u> 쓴 낱말은 어느 것입니까? (　　　)

① 펭귄　　② 가위　　③ 의자

④ 흰색　　⑤ 주사의

10 그림을 보고 바르게 쓴 낱말에 ○표 하세요.

(1)

친구를 ┌─────────┐ 해요.
　　　 │ 응언 │
　　　 ├─────────┤
　　　 │ 응원 │
　　　 └─────────┘

(2)

┌─────────┐
│ 예이 │
├─────────┤ 바르게 인사해요.
│ 예의 │
└─────────┘

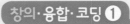

보드 게임 퀴즈

📖 미술 카드를 따라가며 바르게 쓴 낱말에 ○표 하세요.

1 그림일기를 보고 틀린 낱말을 찾아 ◯표 하고, 바르게 고쳐 쓰세요.

오	늘	은		동	물	원	에		다
녀	왔	다	.	돼	지	도		보	고
다	람	쥐	도		봤	다	.	쵀	고
의		하	루	를		보	냈	다	.

(   )

2 다음 동물의 이름을 적기 위해 필요한 모음자를 모두 골라 ◯표 하세요.

ㅏ	ㅔ	ㅙ
ㅚ		ㅐ
ㅘ	ㅝ	ㅟ

3 보기 와 같이 암호를 보며 빈칸에 들어갈 낱말을 써 보세요.

암호

◯	◆	☺	☆	👍	◎
하	분	화	과	가	자

보기

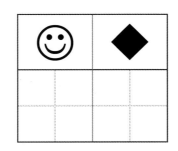
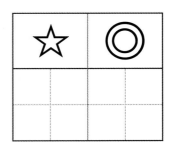

1 보기 처럼 구슬을 꿰어 문장을 만들어 보세요.

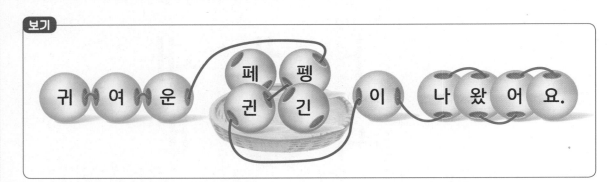

보기
귀여운 펭귄이 나왔어요.

①

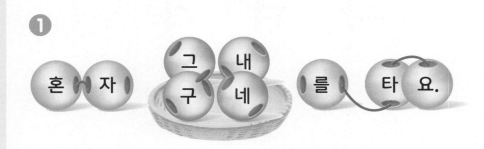

혼자 그네를 타요.

②

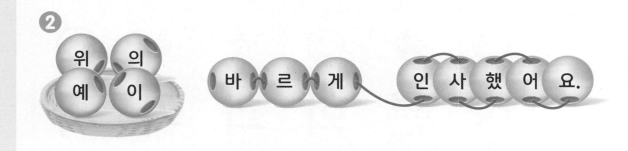

위에 바르게 인사했어요.

③

여기는 도서관이에요.

2 바르게 쓴 낱말이 있는 칸에 모두 색칠하고, 어떤 모음자가 나오는지 쓰세요.

의사	참왜	바퀴	운동하
태권도	무늬	원숭이	소하기
무지개	응언	흰색	게구리

(   )

3 보기 처럼 키보드의 낱자를 모아 화면에 낱말을 써 보세요.

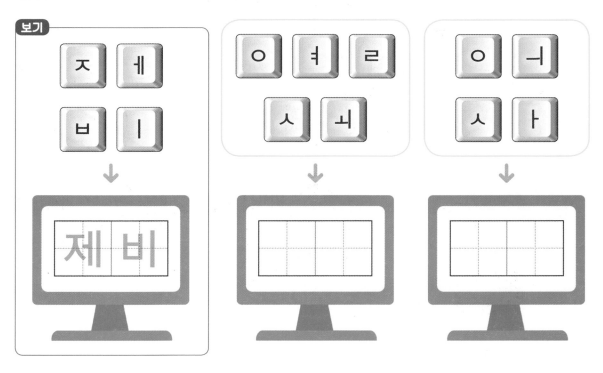

2주에는 무엇을 공부할까? ①

받침이 뒤로 넘어가서 소리 나는 말을 써요 1

✱ 선을 따라가며 다음 받침이 들어간 낱말을 살펴보세요.

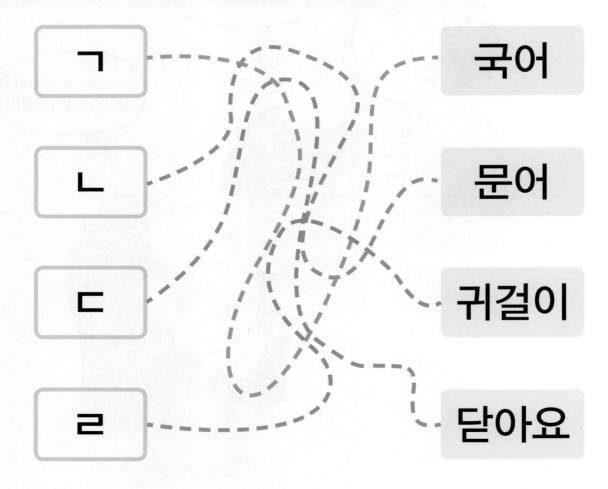

◑ 정답과 풀이 5쪽

2주

✱ '기 받침'이 들어간 낱말에 ○표 하세요.

악어

인어

군인

거북이

어린이

ㄱ 받침

오늘은 기다리고 기다리던 **목요일**!

아침에 깨끗하게 **목욕**을 하고

열심히 **국어** 수업도 듣고

바둑이에게 **먹이**까지 주면!

악어 인형을 살까? 아니면 **거북이**?

TOY

ㄱ 받침

맞춤법 익히기

받침 ㄱ+ㅇ | 🔊 이렇게 **소리** 나요! | ✏️ 이렇게 **써요!**

국어 → [구거] | 국 어

'국어'를 읽으면 '국'의 ㄱ 받침이 '어'와 만나 [구거]로 소리 나요. 하지만 쓸 때에는 받침 'ㄱ'을 그대로 살려서 써요.

◆ 다음 그림과 낱말을 보고, 소리 내어 읽은 후 글자를 따라 쓰세요.

🔊 이렇게 **소리** 나요! | ✏️ **따라** 쓰세요!

 악어 → [아거] | 악 어

🍁 낙엽 → [나겹] | 낙 엽

🐢 거북이 → [거부기] | 거 북 이

🖊 바르게 써 보세요!

먹이
뜻 동물의 먹을거리.

🔊 소리
[머기]

목욕
뜻 온몸을 씻는 일.

🔊 소리
[모곡]

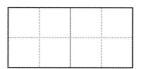

석유
뜻 땅속에서 나는 검은 기름.

🔊 소리
[서규]

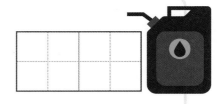

학용품
뜻 공부할 때 쓰는 물건.

🔊 소리
[하공품]

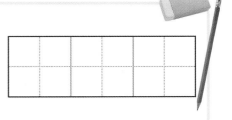

목요일
뜻 수요일 다음 날.

🔊 소리
[모교일]

1 그림을 보고 바른 낱말에 ◯표 하세요.

❶

자동차는 [서규 / 석유] 가 있어야 달려요.

❷

금붕어는 작은 [머기 / 먹이] 를 먹어요.

2 ( ) 안의 바른 낱말에 ◯표 하고, 빈칸에 쓰세요.

❶

(국어 / 구거)

재미있는 [　] [　] 공부

❷

(낙엽 / 나겹)

팔랑팔랑 [　] [　]

❸

(하공품 / 학용품)

여러 가지 [　] [　] [　]

산타할아버지가 선물을 배달하고 있어요. 갈림길에서 바르게 쓴 낱말에 ◯표 하고 길을 그려보세요.

국어

구거

낙엽

나겹

목욕

모곡

아거

악어

ㄴ 받침

> 똑똑한 하루 어휘 / 맞춤법 + 받아쓰기

받침 ㄴ + ㅇ

🔊 이렇게 **소리** 나요!

[무너]

✏️ 이렇게 **써**요!

| 문 | 어 |

'문어'를 읽으면 '문'의 ㄴ 받침이 '어'와 만나 [무너]로 소리 나요. 하지만 쓸 때에는 받침 'ㄴ'을 그대로 살려서 써요.

◆ 다음 그림과 낱말을 보고, 소리 내어 읽은 후 글자를 따라 쓰세요.

🔊 이렇게 **소리** 나요!　　✏️ **따라** 쓰세요!

군인

[구닌]

| 군 | 인 |

연어

[여너]

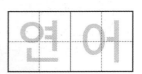
| 연 | 어 |

어린이

[어리니]

| 어 | 린 | 이 |

✏️ 바르게 써 보세요!
▼

한우
(뜻) 예전부터 우리나라에서 키워 왔던 소.

🔊 소리
[하누]

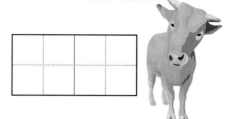

단어
(뜻) 하나하나의 말. 낱말.

🔊 소리
[다너]

한옥
(뜻) 예전부터 우리나라에서 짓던 집.

🔊 소리
[하녹]

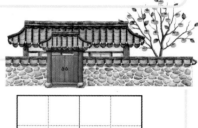

글쓴이
(뜻) 글을 쓴 사람.

🔊 소리
[글쓰니]

인어
(뜻) 물고기의 몸을 가진 동화 속 사람.

🔊 소리
[이너]

2일  바르게 쓰기

1 그림을 보고 바른 낱말에 ◯표 하고, 빈칸에 쓰세요.

❶

| 구닌 | / | 군인 |

삼촌은 　　　　입니다.

❷

| 한옥 | / | 하녹 |

민속촌에서 본 　　　　.

❸

| 이너 | / | 인어 |

동화 속 　　　　 공주.

2 잘못 쓴 낱말에 밑줄을 긋고 바르게 고쳐 쓰세요.

❶

강을 헤엄치는 여너

❷

5월 5일은 어리니날

◉ 친구들이 수업 시간에 낱말 카드를 만들었어요. 카드를 잘못 만든 친구를 1명 찾아 ◯표 하고 바르게 고쳐주세요.

어린이

연어

글쓴이

하녹

새싹이 **돋아**나서

커다란 박이 되겠지?

제비야! 너만 **믿어**!

3일 ㄷ 받침

받침 ㄷ + ㅇ

문을 **닫아요**.  이렇게 **소리** 나요! [다다요]

'닫아요'를 읽으면 '닫'의 ㄷ 받침이 '아'와 만나 [다다요]로 소리 나요. 하지만 쓸 때에는 받침 'ㄷ'을 그대로 살려서 써요.

◆ 다음 낱말을 보고, 소리 내어 읽은 후 글자를 따라 쓰세요.

낱말	이렇게 소리 나요!	따라 쓰세요!
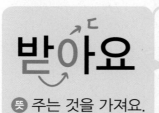 받아요 뜻 주는 것을 가져요.	[바다요]	선물을 받아요.
묻어요 뜻 흙 속에 넣고 덮어요.	[무더요]	씨앗을 묻어요.
굳어요 뜻 단단하게 되어요.	[구더요]	찰흙이 굳어요.

믿음
뜻 믿는 것.

🔊 소리
[미듬]

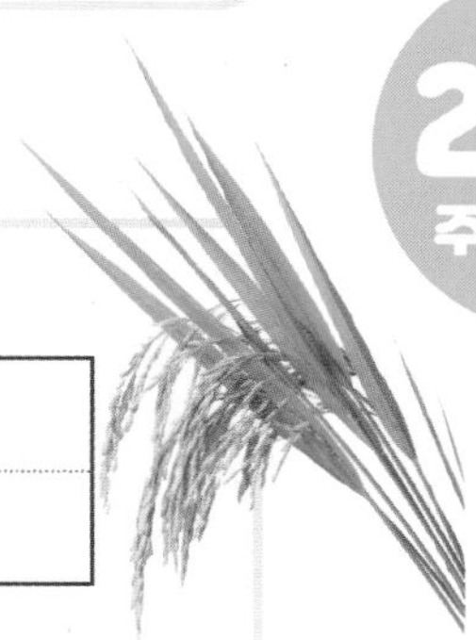

낟알
뜻 곡식의 알.

🔊 소리
[나달]

받아쓰기
뜻 들은 대로 쓰는 것.

🔊 소리
[바다쓰기]

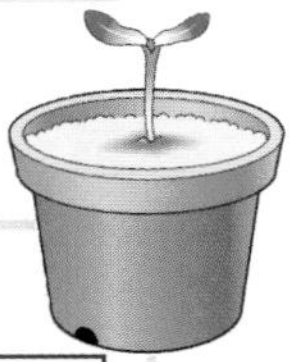

돋아요
뜻 겉으로 나와요.
예 새싹이 돋아요.

🔊 소리
[도다요]

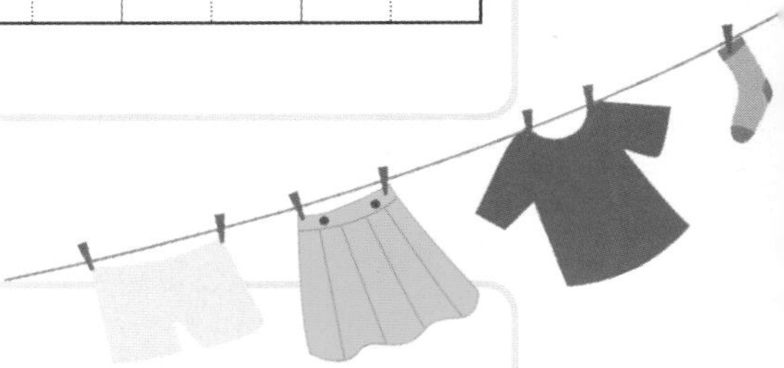

걷어요
뜻 다른 곳으로 치워요.
예 빨래를 걷어요.

🔊 소리
[거더요]

2주

1 안에 들어갈 바른 낱말을 찾아 선으로 이으세요.

①

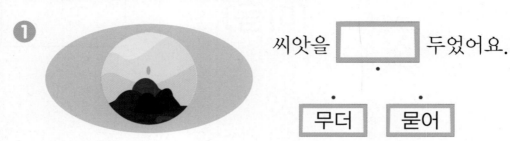

씨앗을 [ ] 두었어요.

무더   묻어

②

봄에 싹이 [ ] 요.

도다   돋아

③

100점을 [ ] 기뻐요.

받아   바다

2 뜻에 알맞은 낱말을 찾아 선으로 잇고, 바르게 쓰세요.

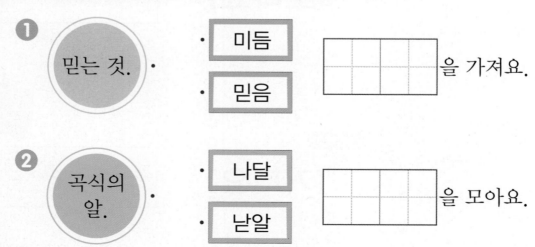

① 믿는 것.

미듬

믿음

[ ] 을 가져요.

② 곡식의 알.

나달

낟알

[ ] 을 모아요.

◉ 민호가 수영장에 왔어요. 틀린 낱말이 적힌 망가진 튜브를 2개 찾아 ◯표 하세요.

닫아요

밭아요

굳어요

돋아요

걷어요

ㄹ 받침

 맞춤법 익히기

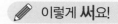 이렇게 **소리** 나요!　　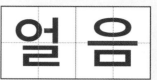 이렇게 **써**요!

받침 ㄹ + ㅇ

 **얼음**　[어름]　|　얼음

2
주

'얼음'을 읽으면 '얼'의 ㄹ 받침이 '음'과 만나 [어름]으로 소리 나요. 하지만 쓸 때에는 받침 'ㄹ'을 그대로 살려서 써요.

◆ 다음 그림과 낱말을 보고, 소리 내어 읽은 후 글자를 따라 쓰세요.

　이렇게 **소리** 나요!　　따라 **쓰**세요!

할아버지　[하라버지]　할 아 버 지

 **걸음**　[거름]　 걸 음

 **귀걸이**　[귀거리]　 귀 걸 이

ㅁ 받침

밤에 하늘을 보다가 퀴즈가 생각났어.

맞춤법 익히기

받침 ㅁ + ㅇ

🔊 이렇게 **소리** 나요!

잠 이 와요.

[자미]

'잠이'를 읽으면 '잠'의 ㅁ 받침이 '이'와 만나 [자미]로 소리 나요. 하지만 쓸 때에는 받침 'ㅁ'을 그대로 살려서 써요.

◆ 다음 그림과 낱말을 보고, 소리 내어 읽은 후 글자를 따라 쓰세요.

🔊 이렇게 **소리** 나요!　　　　✏️ **따라** 쓰세요!

밤+이 ➡ [바미]　밤 이 되었어요.

잠+을 ➡ [자믈]　잠 을 자요.

꿈+을 ➡ [꾸믈]　꿈 을 꾸어요.

아침+이 ➡ [아치미]　아 침 이 왔어요.

1 그림을 보고 바르게 쓴 낱말에 ◯표 하세요.

❶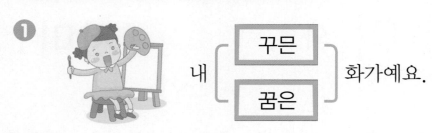

내 [꾸믄 / 꿈은] 화가예요.

❷

예쁘게 [추물 / 춤을] 추어요.

2 밑줄 그은 낱말을 바르게 고쳐 쓰세요.

❶

어름이 차가워요.

→

❷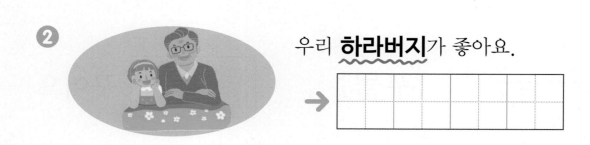

우리 **하라버지**가 좋아요.

→

❸

아빠는 **거름**이 빨라요.

→

개미가 먹이를 들고 집을 찾아가요. 바른 낱말에 ◯표 하고 개미가 집까지 가는 길을 그려 보세요.

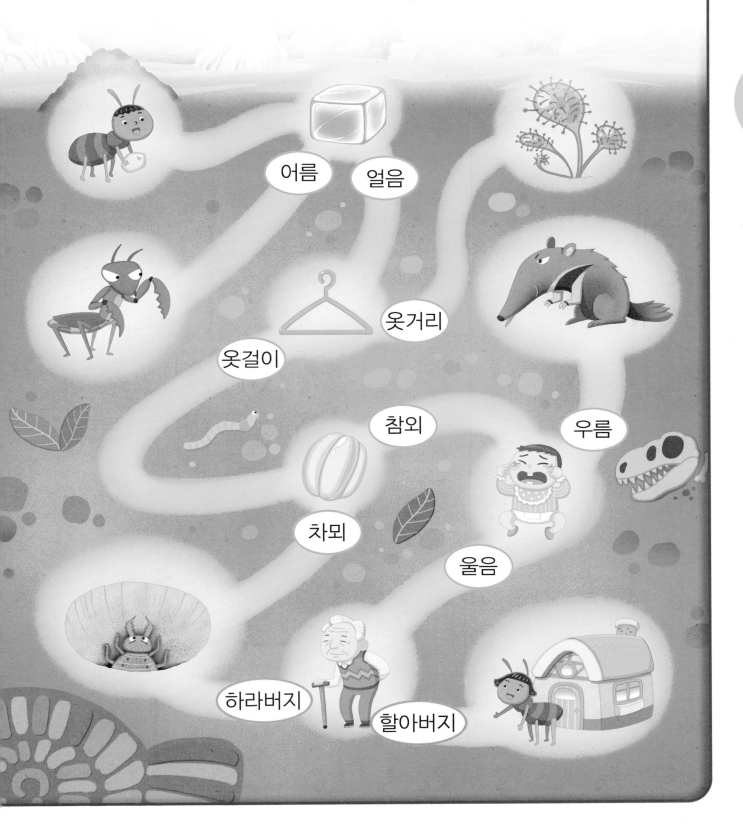

1 다음 그림에 알맞은 낱말을 찾아 ◯표 하세요.

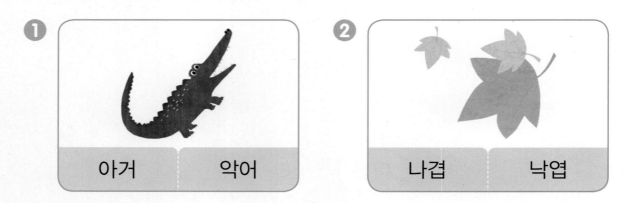

① 아거 | 악어

② 나겹 | 낙엽

2 다음 낱말에 모두 들어가는 받침을 찾아 ◯표 하세요.

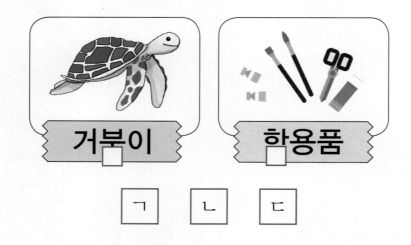

거부이

한용품

ㄱ   ㄴ   ㄷ

3 그림을 보고 알맞은 구슬을 골라 꿰어 보세요.

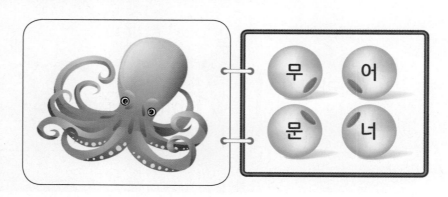

무   어
문   너

4 그림을 보고 알맞은 낱말을 보기 에서 찾아 쓰세요.

보기

| 구닌 | 군인 | 군닌 | 이너 | 인어 | 인너 |

❶

아저씨

❷

공주

5 밑줄 그은 낱말을 바르게 고쳐 쓰세요.

❶

창문을 **다다** 주세요.

→ 창문을   주세요.

❷

선물을 **바다** 기뻐요.

→ 선물을   기뻐요.

6 주사위를 굴려 알맞은 글자를 써 보세요.

차 가 운 　 음

7 바르게 쓴 낱말에 ◯표 하세요.

하라버지　　할라버지　　할아버지

8 그림을 보고 글자에 알맞은 받침을 써넣으세요.

① 아이가 　자　을 자요.

② 아이가 　꼬　을 꾸어요.

QR 받아쓰기

QR찍고 내용듣기 ▶

◐ 정답과 풀이 7쪽

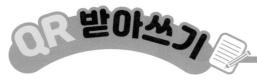

◆ **문장을 잘 듣고 받아쓰세요.** (정답 7쪽의 문장을 불러 주시거나 QR을 찍어 들려주세요.)

1

2

3

4

5

여기에 틀린 글자를 다시 써 보세요.

2주

1 알맞은 받침을 찾아 ○표 하세요.

봄에는 새싹이 도아요.

| ㄷ | ㄱ |

2 낱말을 바르게 쓴 것에 ○표 하세요.

	귀거리
	귀걸이
	기걸이

3 보기 에서 알맞은 말을 골라 (   )안에 넣어 문장을 완성하세요.

보기
꿈을   아침에   먹이를

(1) 밤에 (   ) 꿉니다.

(2) 동물에게 (   ) 줍니다.

4 잘못 쓴 낱말은 무엇입니까? (   )

① 걸음   ② 묻다   ③ 석유

④ 굳다   ⑤ 인어

5 그림을 보고 바르게 쓴 낱말에 ○표 하세요.

(1)

깨끗하게 [목욕 / 모곡] 을 해요.

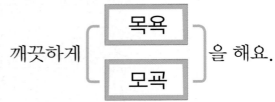

(2)

마당에서 빨래를 [겉어 / 걷어] 요.

6 바르게 쓴 낱말에 ○표 하세요.

학용품 / 합용품	한옥 / 하녹

7 빈칸에 들어갈 자음자는 무엇입니까?

(　　)

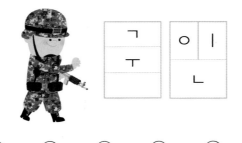

① ㄱ ② ㄴ ③ ㄷ ④ ㄹ ⑤ ㅁ

8 'ㄱ'받침이 들어간 낱말을 모두 골라 쓰세요.

악어	거북이	연어

(　　　　　　　　　　)

9 다음 낱말의 뜻에 알맞게 선으로 이으세요.

받아쓰기	단어	낱알
•	•	•

•	•	•
하나하나의 말	들은 대로 쓰는 것	곡식의 알

10 밑줄 그은 낱말을 바르게 고쳐 쓰세요.

산타 **하라버지**를 기다려요.

→

보드 게임 퀴즈

📖 놀이 기구를 따라가며 바르게 쓴 낱말에 ◯표 하세요.

나겹 을 바르게 쓰면?

낙겹 / 낙엽

여너 를 바르게 쓰면?

연너 / 연어

돌아요 / 돋다요

도다요 를 바르게 쓰면?

어린이 / 어린니

어리니 를 바르게 쓰면?

1 그림을 보고 빈칸에 알맞은 글자를 써 보세요.

밤에는 꿈 ⬜⬜ 꾸며 잡니다.

친구와 학 ⬜⬜⬜ 을 정리해요.

2 바르게 쓴 낱말이 있는 칸에 모두 색칠하고, 어떤 받침자가 나오는지 쓰세요.

밑음	문어	글쓴이	한우
이너	낙엽	아거	하공품
어름	목욕	귀걸이	석유

(   )

3 다음 보기 의 낱말을 받침의 종류에 따라 나누어 보세요.

보기

할아버지, 묻어요, 귀걸이, 돋아요

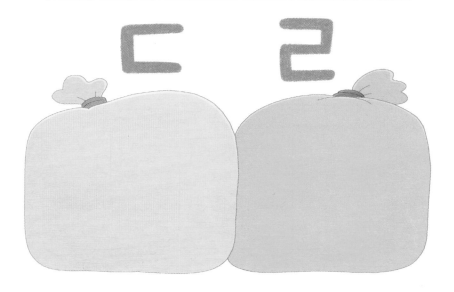

1 성규가 예전부터 우리나라에서 짓던 집에 대해 조사하려고 합니다. 성규가 검색을 하기 위해 눌러야 하는 자판을 모두 색칠하세요.

2 [보기]처럼 주사위를 굴려서 문장을 만들어 보세요.

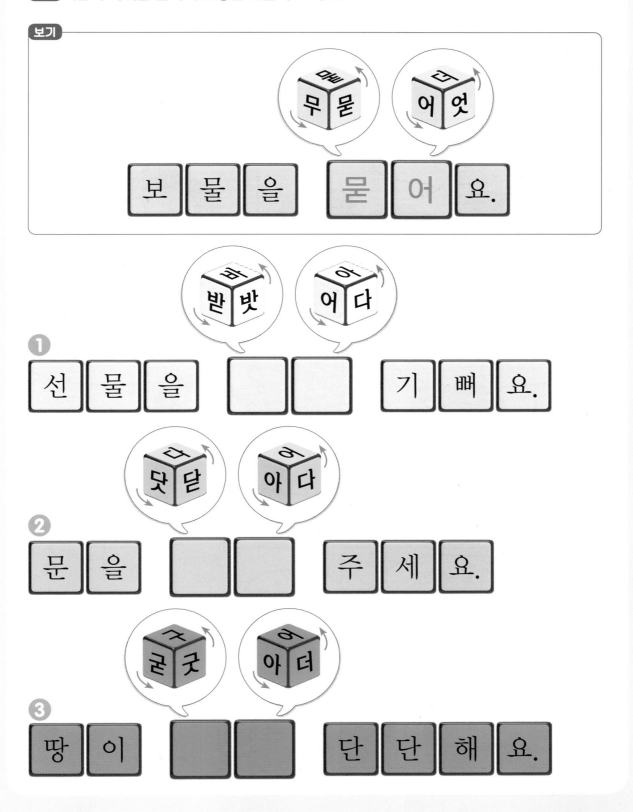

| 보 | 물 | 을 | 물 | 어 | 요. |

① | 선 | 물 | 을 | | | 기 | 뻐 | 요. |

② | 문 | 을 | | | 주 | 세 | 요. |

③ | 땅 | 이 | | | 단 | 단 | 해 | 요. |

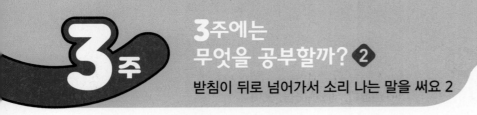

3주

3주에는
무엇을 공부할까? ❷

받침이 뒤로 넘어가서 소리 나는 말을 써요 2

★ 선을 따라 가며 이번 주에 배울 내용을 읽어 보세요.

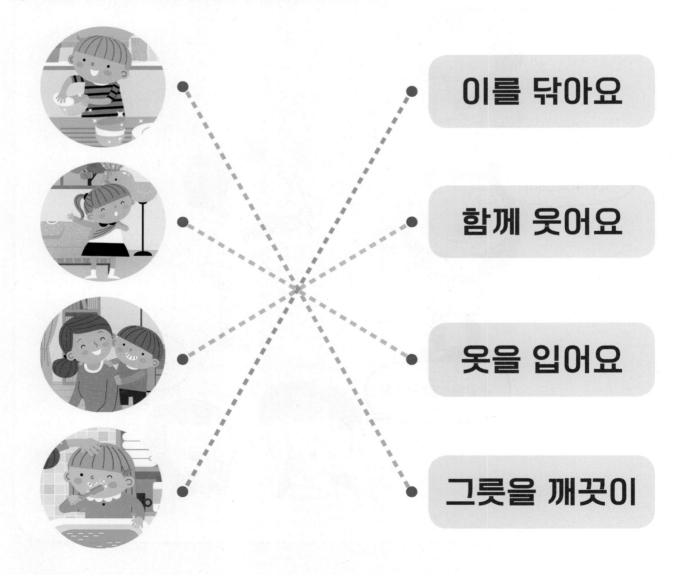

이를 닦아요

함께 웃어요

옷을 입어요

그릇을 깨끗이

3
주

⭐ 받침 ㄲ이 들어간 것에 ◯표 하세요.

김밥

튀김

순대

어묵

떡볶이

맞춤법 익히기

📢 이렇게 **소리** 나요!

[손자비]

✏️ 이렇게 **써**요!

손	잡	이

'손잡이'를 읽으면 '잡'의 'ㅂ'받침이 '이'와 만나 [손자비]로 소리 나요. 하지만 쓸 때에는 받침 'ㅂ'을 그대로 살려서 써요.

3주

◆ 다음 낱말을 보고, 소리 내어 읽은 후 글자를 따라 쓰세요.

📢 이렇게 **소리** 나요! ✏️ **따라** 쓰세요!

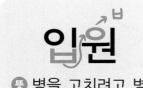
뜻 병을 고치려고 병원에 있는 것.

[이붠]

임 원 을 했어요.

뜻 옷을 몸에 둘러요.

[이버요]

옷을  입 어 요 .

뜻 손에 넣고 놓지 않아요.

[자바요]

공을  잡 아 요 .

ㅅ 받침

받침 ㅅ+ㅇ

우음   이렇게 **소리** 나요!   이렇게 **써**요!

[우슴]

웃	음

'웃음'을 읽으면 '웃'의 'ㅅ' 받침이 '음'과 만나 [우슴]으로 소리 나요. 하지만 쓸 때에는 받침 'ㅅ'을 그대로 살려서 써요.

◆ 다음 낱말을 보고, 소리 내어 읽은 후 글자를 따라 쓰세요.

이렇게 **소리** 나요!   **따라** 쓰세요!

[오시]   옷 이   예뻐요.

깻끗이

뜻 더럽지 않게.

[깨끄시]   깨 끗 이   닦아요.

씻어요

뜻 더러운 것을 없애요.

[씨서요]   손을   씻 어 요 .

1 그림을 보고 바른 낱말에 ◯표 하고, 빈칸에 쓰세요.

❶

외투를 │ 이버요 │ / │ 입어요 │

│　│　│　│　│　│ .

❷

│ 깨끄시 │ / │ 깨끗이 │

│　│　│　│　│ 청소해요.

❸

│ 입원 │ / │ 이뷘 │

다리를 다쳐서 │　│　│ 을 했어요.

2 밑줄 그은 낱말을 바르게 고쳐 쓰세요.

❶ 공을 **자바요**.

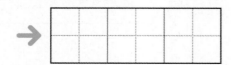

→ │　│　│　│　│

❷ **오슬** 말려요.

→ │　│　│

● 바르게 쓴 낱말을 7개 찾아 색칠해 보세요.

맞춤법 익히기

받침 ㅈ + ㅇ

🔊 이렇게 **소리** 나요!

✏️ 이렇게 **써**요!

달맞이 [달마지] | **달 맞 이**

'달맞이'를 읽으면 '맞'의 'ㅈ'받침이 '이'와 만나 [달마지]로 소리 나요. 하지만 쓸 때에는 받침 'ㅈ'을 그대로 살려서 써요.

◆ 다음 낱말을 보고, 소리 내어 읽은 후 글자를 따라 쓰세요.

🔊 이렇게 **소리** 나요! ✏️ **따라** 쓰세요!

낮 + 에 [나제] 낮 에 놀았어요.

젖어요
뜻 물이 있어서 축축해요.
[저저요] 옷이 젖 어 요 .

찾아요
뜻 여기저기 뒤지거나 살펴요.
[차자요] 공책을 찾 아 요 .

ㅊ 받침

받침 ㅊ + ㅇ

🔊 이렇게 **소리** 나요!

꽃 이 예뻐요.

[꼬치]

'꽃이'를 읽으면 '꽃'의 'ㅊ' 받침이 '이'와 만나 [꼬치]로 소리 나요. 하지만 쓸 때에는 받침 'ㅊ'을 그대로 살려서 써요.

3주

◆ 다음 낱말을 보고, 소리 내어 읽은 후 글자를 따라 쓰세요.

🔊 이렇게 **소리** 나요! ✏️ **따라** 쓰세요!

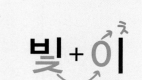 빛 + 이

[비치]

빛 이 나요.

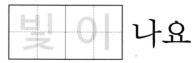 숯 + 이

[수치]

숯 이 까매요.

고기를 구울 때 쓰는 숯

 쫓아요
🔵뜻 뒤를 따라가요.

[쪼차요]

도둑을 쫓 아 요.

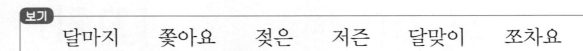

1 보기 에서 알맞은 말을 찾아 빈칸에 쓰세요.

보기
| 달마지 | 쫓아요 | 젖은 | 저즌 | 달맞이 | 쪼차요 |

① 추석에는 _____ 를 해요.

② 강아지가 도둑을 _____ .

③ _____ 옷이 차가워요.

2 밑줄 그은 낱말을 바르게 고친 것에 ◯표 하세요.

① **수츠로** 불을 피워요.

→ 숯으로 / 숫으로

② 여름에는 **나지** 길고 겨울에는 밤이 길어요.

→ 낫이 / 낮이

○ 제비가 흥부에게 박씨를 물어다 주려고 해요. 갈림길에서 알맞은 낱말에 ○표 하고 제비가 흥부에게 갈 수 있는 길을 그려 보세요.

ㅌ 받침

우리집 하양이는

아주 귀여운 고양이랍니다.

하양아, 이거 놔아~

나한테 꼭 **붙어** 있으려고만 해요.

나돌이보다 더 동생 **같아요.**

누나 미워!

하양아, 고마워!

받침 ㅌ + ㅇ

🔊 이렇게 **소리** 나요!

끝 에 있어요. ▶ [끄테]

'끝에'를 읽으면 '끝'의 'ㅌ' 받침이 '에'와 만나 [끄테]로 소리 나요. 하지만 쓸 때에는 받침 'ㅌ'을 그대로 살려서 써요.

◆ 다음 낱말을 보고, 소리 내어 읽은 후 글자를 따라 쓰세요.

🔊 이렇게 **소리** 나요!　　　　✏️ **따라** 쓰세요!

뜻 닿아서 떨어지지 않아요.

[부터요]　먼지가 | 붙 | 어 | 요 |.

뜻 서로 다르지 않아요.

[가타요]　키가 | 같 | 아 | 요 |.

뜻 코로 냄새를 느껴요.

[마타요]　냄새를 | 맡 | 아 | 요 |.

밤에는 이불을 **덮어요**. 곧 꿈나라로 가요.

맞춤법 익히기

받침 ㅍ + ㅇ

🔊 이렇게 **소리** 나요!

앞으로 나가요. ▸ **[아프로]**

'앞으로'를 읽으면 '앞'의 'ㅍ' 받침이 '으'와 만나 [아프로]로 소리 나요. 하지만 쓸 때에는 받침 'ㅍ'을 그대로 살려서 써요.

3 주

◆ 다음 낱말을 보고, 소리 내어 읽은 후 글자를 따라 쓰세요.

🔊 이렇게 **소리** 나요!　　　　✏️ **따라** 쓰세요!

뜻 아래에서 위까지가 길어요.

[노파요]　　산이 노 아 요 .

뜻 보이지 않게 가려요.

[더퍼요]　　이불을  .

덮 어 요

뜻 겉에서 속까지가 멀어요.

[기퍼요]　　바다가 깊 어 요 .

1 그림을 보고 바르게 쓴 낱말에 ○표 하세요.

❶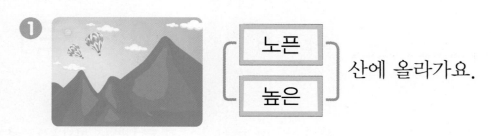

노픈
높은

산에 올라가요.

❷

가튼
같은

옷을 입었어요.

❸

어두워서

앞이
아피

안 보여요.

2 밑줄 그은 낱말을 바르게 고쳐 쓰세요.

❶ **기픈** 바닷속

→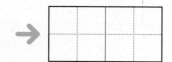

❷ 꽃향기를 **마타요**.

→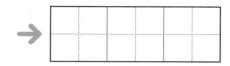

● 사다리를 타고 내려가서 틀린 낱말을 알맞게 고쳐 쓰세요.

ㄲ 받침

떡볶이 재료를 사러 왔어요.

아주머니, 좀 **깎아** 주세요~

엄마, 어묵 많이!

재료를 잘 **섞어서** 만들어요.

저리 가서 쉬고 있어.

그래, 많이 먹으렴.

엄마, 정말 맛있어요!

맞춤법 익히기

받침 ㄲ+ㅇ

떡볶이 → [떡뽀끼]

🔊 이렇게 **소리** 나요!

✏️ 이렇게 **써**요!

떡	볶	이

'떡볶이'를 읽으면 '볶'의 'ㄲ'받침이 '이'와 만나 [떡뽀끼]로 소리 나요. 하지만 쓸 때에는 받침 'ㄲ'을 그대로 살려서 써요.

◆ 다음 낱말을 보고, 소리 내어 읽은 후 글자를 따라 쓰세요.

🔊 이렇게 **소리** 나요!

✏️ **따라** 쓰세요!

깎아요
뜻 겉을 얇게 벗겨 내요.

[까까요]

사과를 .

섞어요
뜻 하나로 합쳐요.

[서꺼요]

카드를 .

겪은
뜻 어떤 일을 해 보는.

[겨끈]

 일을 써요.

받침 ㅆ + ㅇ

🔊 이렇게 소리 나요!

돈이 | 있 | 어 | 요 |. ▶ [이써요]

'있어요'를 읽으면 '있'의 'ㅆ' 받침이 '어'와 만나 [이써요]로 소리 나요. 하지만 쓸 때에는 받침 'ㅆ'을 그대로 살려서 써요.

3
주

◆ 다음 낱말을 보고, 소리 내어 읽은 후 글자를 따라 쓰세요.

🔊 이렇게 **소리** 나요!　　　✏️ **따라** 쓰세요!

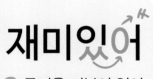
재미있어
😀 뜻 즐거운 기분이 있어.

[재미이써]　책이 | 재 | 미 | 있 | 어 |.

갔어요
😀 뜻 다른 곳으로 움직였어요.

[가써요]　　집에 | 갔 | 어 | 요 |.

썼어요
😀 뜻 머리에 얹어 덮었어요.

[써써요]　　모자를 | 썼 | 어 | 요 |.

1 그림을 보고, 카드의 낱말을 맞춤법에 맞게 쓰세요.

❶

[이써요]

사과가 한 개 ｜　｜　｜　｜　｜.

❷

[겨끈]

｜　｜　｜ 일을 글로 써요.

❸

[재미이써서]

｜　｜　｜　｜　｜　｜　｜ 크게 웃어요.

2 밑줄 그은 낱말을 바르게 고쳐 쓰세요.

❶ 맛있는 **떡보끼**

→ ｜　｜　｜　｜　｜

❷ 이제 집에 **가쓰면** 좋겠어요.

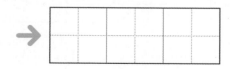

→ ｜　｜　｜　｜　｜

● 놀이공원에 놀러 왔어요. 보기 에서 빈칸에 들어갈 알맞은 글자를 찾아 쓰세요.

보기

있   갔   썼   었

화장실

화장실에 ⬚ 어요.

모자를 ⬚ 어요!

솜사탕을 먹 ⬚ 어요.

재미 ⬚ 어요!

1 그림을 보고 바른 글자에 ○표 하고, 낱말을 쓰세요.

❶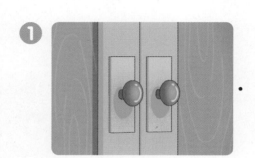

- 손자비
- 손잡비
- 손잡이

❷

- 놉은 파도
- 높은 파도
- 노픈 파도

2 다음 그림에 알맞은 낱말을 찾아 선으로 이어 보세요.

❶

사진이 벽에 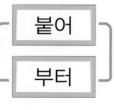 있어요.

붙어
부터

❷

할머니께서 집  나오셨어요.

앞으로
아프로

3 (   ) 안에 들어갈 알맞은 낱말을 바르게 쓴 쪽지를 찾아 ◯표 하세요.

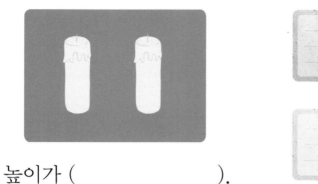

높이가 (   ).

| 가타요 | 같아요 |
| 같타요 | 갇아요 |

4 낱말이 바르게 쓰여 있는 나뭇잎을 4개 찾아 색칠해 보세요.

5 밑줄 그은 낱말이 바른 것에는 ◯표, 틀린 것에는 ✖표 하세요.

❶ **잡은** 물고기를 놓아주었어요.

(   )

❷ 방 안에서 **우슴**소리가 들렸어요.

(   )

6 바르게 쓴 낱말에 ○표 하고, 빈칸에 쓰세요.

꼬체	/	꽃에

❶ ☐☐☐ 물을 주었어요.

가써요	/	갔어요

❷ 친구와 함께 놀이터에 ☐☐☐☐.

7 다음 밑줄 그은 낱말을 바르게 고쳐 쓰면서 징검돌을 건너 보세요.

❶ 냄새를 **마타요.**

❷ **겨끈** 일

❸ **차즌** 돈

❹ 물이 **이써요.**

QR 받아쓰기

QR찍고 내용듣기 ▶

◐ 정답과 풀이 11쪽

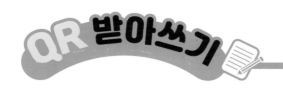

◆ **문장을 잘 듣고 받아쓰세요.** (정답 11쪽의 문장을 불러 주시거나 QR을 찍어 들려주세요.)

❶

❷

❸

❹

❺

여기에 틀린 글자를 다시 써 보세요.

3주

1 잘못 쓴 낱말에 색칠하세요.

(1) 깨끄시 (2) 씻어요

2 그림을 보고 밑줄 그은 낱말을 바르게 고쳐 쓰세요.

<u>달마지</u>를 하러 나갔습니다.

(   )

3 알맞게 고친 낱말을 찾아 선으로 이으세요.

(1) 저저요 •

- ㉠ 찻아요
- ㉡ 찾아요

(2) 차자요 •

- ㉢ 젇어요
- ㉣ 젖어요

4 다음 그림을 보고 빈칸에 들어갈 알맞은 말에 ○표 하세요.

참 밝아요.

(별빛이 / 별비치)

5 다음 표의 빈칸에 들어갈 말은 무엇인가요? (   )

| 키가 가타요 | → | 키가 같아요 |
| 책상 끄테 | → | |

㉠ 책상 끝에   ㉡ 책상 끝애

6 빈칸에 들어갈 알맞은 말을 쓰세요.

(   )

7 다음 낱말에 들어갈 알맞은 자음자를 찾아 선으로 이으세요.

(1) 부어요 •

(2) 노아요 •

        • ㉠ ㅌ

(3) 기어요 •

        • ㉡ ㅍ

(4) 마아요 •

8 다음 빈칸에 들어갈 알맞은 말에 ○표 하세요.

(아프로 / 앞으로)

9 받침을 <u>잘못</u> 쓴 문장에 ✕표 하세요.

(1) 머리를 깎아요.   (   )

(2) 카드를 섞어요.   (   )

(3) 학교에 갓써요.   (   )

10 다음 뜻에 알맞은 낱말을 보기 에서 찾아 쓰세요.

> 보기
>
> 맡다   같다

(1) 서로 다르지 않다.

(   )

(2) 코로 냄새를 느끼다.

(   )

보드 게임 퀴즈

📖 알맞은 낱말에 ⬭표 하며 세계 여행을 해 보세요.

1 보기 처럼 같은 그림이 그려진 글자를 찾아 낱말을 만들어 보세요.

보기

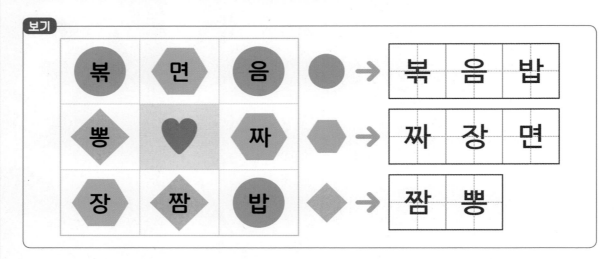

①

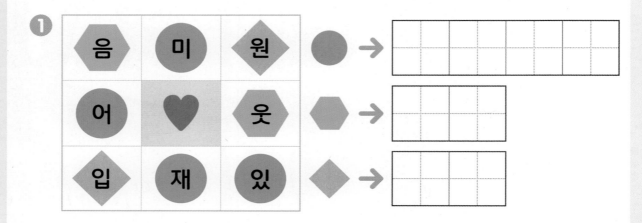

②

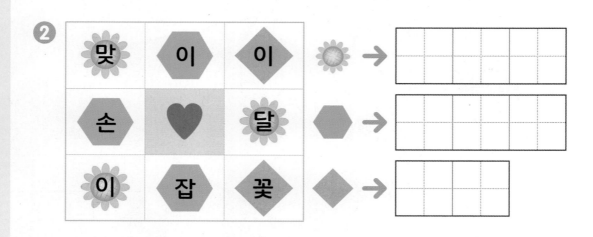

2

보기 처럼 키보드의 낱자를 모아, 화면에 낱말을 써 보세요.

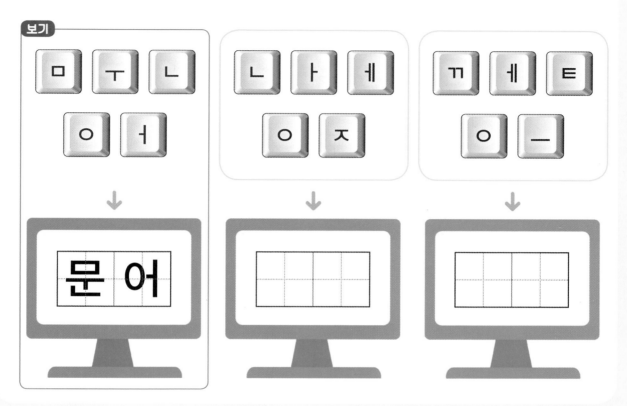

3

가운데 칸의 그림을 보고 글자를 3개 찾아 어울리는 낱말을 쓰세요.

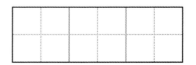

1

보기 와 같이 알맞은 글자 조각을 찾아 ◯표 하세요.

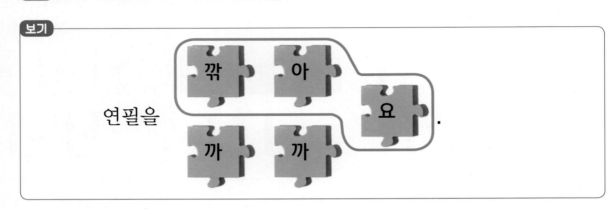

보기

연필을 깎아요.

❶ 동생이 [있 / 쓰 / 이 / 으] 면 좋겠어요.

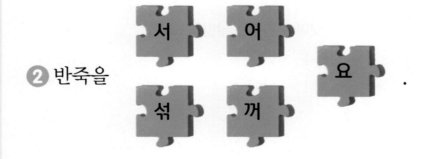

❷ 반죽을 [서 / 어 / 섞 / 꺼] 요 .

❸ 달 [마 / 이 / 맞 / 지] 를 하러 갈래요?

2 보기 처럼 주사위를 굴려서 문장을 만들어 보세요.

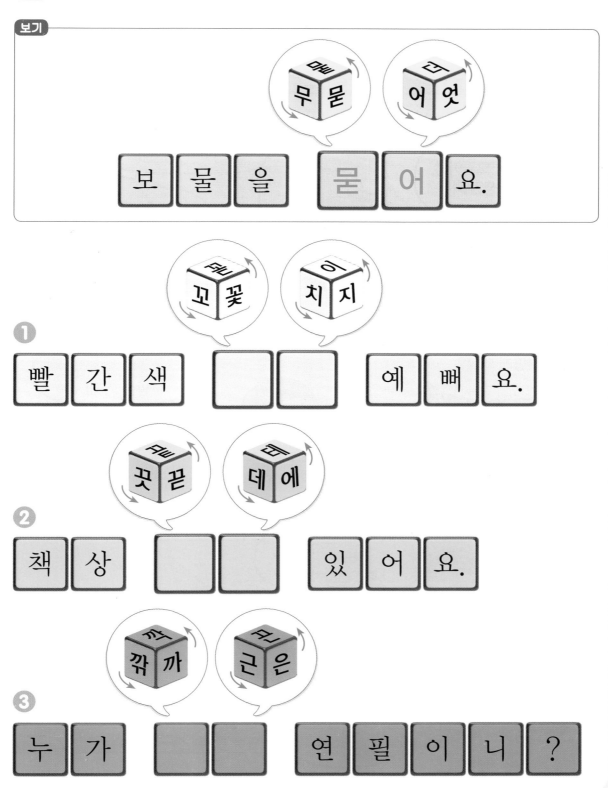

보기

보 물 을 물 어 요.

① 빨 간 색 [ ] [ ] 예 뻐 요.

② 책 상 [ ] [ ] 있 어 요.

③ 누 가 [ ] [ ] 연 필 이 니 ?

4주에는 무엇을 공부할까? ①

흉내 내는 말을 써요

4주에는 무엇을 공부할까?

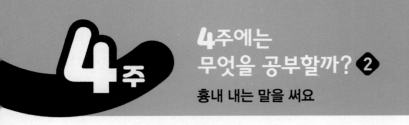

⭐ 선을 따라 가며 이번 주에 배울 낱말을 읽어 보세요.

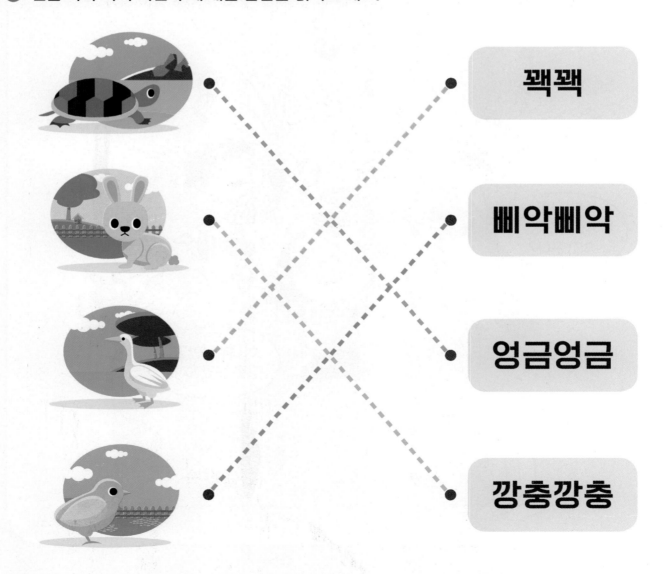

◑ 정답과 풀이 13쪽

✿ 모음자 ㅐ가 들어간 말에 ○표를, 모음자 ㅔ가 들어간 말에는 △표를 하세요.

대롱대롱

훨훨

뭉게뭉게

쌩쌩

글썽글썽

맞춤법 익히기

📖 뜻을 익혀요!

| 재 | 잘 | 재 | 잘 | 떠듭니다.

빠른 목소리로
떠드는 소리나 모양.

구름이 | 뭉 | 게 | 뭉 | 게 |
생겼습니다.

연기나 구름이
둥글게 생기는 모양.

'재잘재잘'에는 모음자 'ㅐ', '뭉게뭉게'에는 모음자 'ㅔ'가 들어가요. '제잘제
잘'이나 '뭉개뭉개'라고 쓰면 틀린 말이 된답니다.

4
주

◆ 낱말을 따라 쓰며 익혀 보세요.

아이들이 | 재 | 잘 | 재 | 잘 | 참
즐겁나 봐요.

연기가 | 뭉 | 게 | 뭉 | 게 | 뿜어
나와요.

대롱대롱 / 절레절레

📖 뜻을 익혀요!

사과가 **대롱대롱** 매달려 있습니다.

작은 것이 매달려 자꾸 흔들리는 모양.

고개를 **절레절레** 흔들었습니다.

머리를 양옆으로 자꾸 흔드는 모양.

'대롱대롱'에는 모음자 'ㅐ'가 들어가고, '절레절레'에는 모음자 'ㅔ'가 들어가요. '데롱데롱'이나 '절래절래'처럼 쓰면 틀린 답니다.

4 주

◆ 낱말을 따라 쓰며 익혀 보세요.

대롱대롱 인형이 가방에 매달려 있어요.

같이 놀자~

안 돼.

머리를 절레절레 흔들며 대답하였어요.

1 그림에 알맞은 낱말에 ◯표 하고, 빈칸에 바르게 쓰세요.

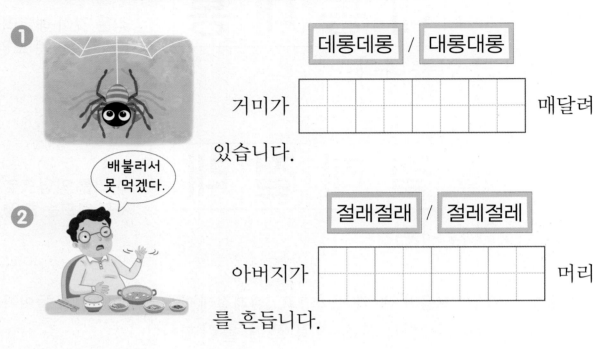

❶ 데롱데롱 / 대롱대롱

거미가 [ ] 매달려 있습니다.

❷ 절래절래 / 절레절레

배불러서 못 먹겠다.

아버지가 [ ] 머리를 흔듭니다.

❸ 뭉게뭉게 / 뭉개뭉개

구름이 [ ] 떠 다닙니다.

2 밑줄 그은 낱말을 바르게 고쳐 쓰세요.

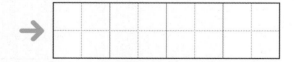

❶ 유치원에서 **제잘제잘** 떠드는 소리가 나요.

→ [ ]

❷ 감이 **대렁대렁** 매달려 있어요.

→ [ ]

재미있게 하기

◉ 우체국 아저씨가 배달을 하고 있어요. 갈림길에서 알맞은 낱말에 ◯표 하고 아저씨가 가야 할 길을 그려 보세요.

재잘재잘

제잘제잘

뭉개뭉개

뭉게뭉게

데롱데롱

대롱대롱

절래절래

절레절레

쌩쌩 / 글썽글썽

맞춤법 익히기

📖 뜻을 익혀요!

자전거가 **쌩 쌩** 달립니다.

빠르게 움직이는
소리나 모양.

눈물이 **글 썽 글 썽**

눈에 눈물이 넘칠
듯이 생긴 모양.

'쌩쌩'과 '글썽글썽'에는 쌍시옷이 들어가요. 그래서 '생생'이라고 쓰면
전혀 다른 뜻이 되고, '글성글성'이라고 쓰면 틀리니 조심하세요.

4주

◆ 낱말을 따라 쓰며 익혀 보세요.

겨울바람이  불어서
차가워요.

뜻 바람이 세게 지나가는 소리나 모양.

예 찬 바람이 **쌩쌩** 붑니다.

 맺힌 눈물이
떨어집니다.

2일 훨훨 / 활짝

봄꽃이 **활짝** 피었어요.

어떡해! 다쳤나 봐!

얼른 나아야지~

이제 다치지 마!

새가 **훨훨** 날아가요.

잘 지내고! 행복해야 해!

📖 뜻을 익혀요!

비둘기가 **훨 훨** 납니다.

느리게 날개를
움직이는 모양.

문을 **활 짝** 열었습니다.

시원스럽게 열거나
펼치는 모양.

'훨훨'에는 모음자 'ㅝ'가 들어가고, '활짝'의 첫 글자에는 모음자 'ㅘ'가 들어가요. '헐헐'이나 '할짝'처럼 잘못 쓰면 틀려요.

4
주

◆ 낱말을 따라 쓰며 익혀 보세요.

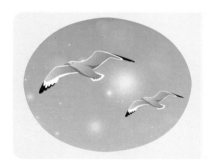

새처럼  하늘을 날고 싶어요.

나팔꽃이  피었어요.

1 그림에 알맞은 낱말에 ◯표 하고, 빈칸에 바르게 쓰세요.

❶

 활활 / 훨훨

두루미가 [　][　][　] 납니다.

❷

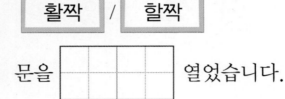 활짝 / 할짝

문을 [　][　][　] 열었습니다.

❸

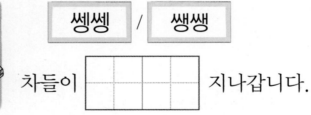 씽씽 / 쌩쌩

차들이 [　][　][　] 지나갑니다.

2 밑줄 그은 낱말을 바르게 고쳐 쓰세요.

❶ 동생의 눈에 **굴성굴썽** 눈물이 생겼어요.

→ [　][　][　][　][　]

❷ 기차가 **생생** 달립니다.

→ [　][　][　]

◑ 정답과 풀이 13쪽

◐ 바르게 쓴 낱말을 4개 찾아 색칠한 다음, 어떤 동물 모양이 나타나는지 쓰세요.

동물의 이름은 ☐ 입니다.

꽥꽥 / 삐악삐악

어서들 오렴.

안녕하셨어요?

시골집에는 병아리가 삐악삐악

귀여워!

오리도 반갑다고 꽥꽥 인사하네.

맞춤법 익히기

📖 **뜻**을 익혀요!

오리가 | 꽥 | 꽥 | 웁니다.

오리가
우는 소리.

병아리가 | 삐 | 악 | 삐 | 악 | 웁니다.

병아리가
우는 소리.

'꽥꽥'에는 모음자 'ㅐ'가 들어가요. 그래서 '꿱꿱'이라고 쓰면 틀리지요. 그리고 '삐악삐악'은 '삐약삐약'으로 잘못 쓰지 않도록 조심해요.

4
주

◆ 낱말을 따라 쓰며 익혀 보세요.

꽥 | 꽥 | , 동생이 오리 흉내를 내요.

삐 | 악 | 삐 | 악 | , 병아리가 귀여워요.

삐악삐악

📖 뜻을 익혀요!

토끼가 | 깡 | 충 | 깡 | 충 |
떱니다.

짧은 다리로 힘 있게 뛰는 모양.

거북이 | 엉 | 금 | 엉 | 금 |
지나갑니다.

느리게 걷거나 기는 모양.

'깡충깡충'에는 모두 이응 받침이 들어가요. '깡총깡총'이라고 쓰면 틀린 말이 되니 조심하세요. '엉금엉금'보다 더 큰 느낌을 나타낼 때에는 '엉큼엉큼'을 써요.

4주

◆ 낱말을 따라 쓰며 익혀 보세요.

아빠 최고!

동생이 | 깡 | 충 | 깡 | 충 | 뛰며
기뻐해요.

아기 곰이 | 엉 | 금 | 엉 | 금 |
기어가요.

1 그림에 알맞은 낱말에 ◯표 하고, 빈칸에 바르게 쓰세요.

❶ 깡충깡충 / 깡총깡총

다람쥐가 [　　　　　] 뛰어서 올라갑니다.

❷ 엉굼엉굼 / 엉금엉금

차들이 [　　　　　] 느립니다.

❸ 꽉꽉 / 꽥꽥

오리가 [　　], 인사합니다.

2 밑줄 그은 낱말을 바르게 고쳐 쓰세요.

❶ 닭장에서 **삐약삐약** 소리가 났어요.

→ [　　　　　]

❷ 강아지가 **깡쵱깡쵱** 뛰어가요.

→ [　　　　　]

● 다음 흉내 내는 말에 어울리는 동물을 찾아 ◯표 하세요.

보기

꽥꽥　　삐악삐악　　깡충깡충　　엉금엉금

쨍쨍 / 휭휭

맞춤법 익히기

📖 뜻을 익혀요!

햇볕이 | 쨍 | 쨍 | 비칩니다.

햇볕이
내리쬐는 모양.

바람이 | 휭 | 휭 | 붑니다.

바람을 일으키며
빠르게 날아가는
소리나 모양.

'쨍쨍'에는 모음자 'ㅐ'가 들어가고, '휭휭'에는 모음자 'ㅟ'가 들어가요. '쨍쨍'이나 '힝힝'으로 쓰면 틀리지요. '힝힝'은 코를 푸는 소리를 나타내요.

4
주

◆ 낱말을 따라 쓰며 익혀 보세요.

날이  개었어요.

유리나 쇠붙이가 부딪쳐서
나는 소리도 '쨍쨍'이라고 해요.

예 못들이 떨어지며 **쨍쨍** 소리가 났어요.

선풍기가  돌아가요.

쏴 / 펄펄

여름에는 비가 **쏴** 하고 내려요.

오늘 재미있었니?

코는 어떻게 만들까?

나뭇가지로 해요!

겨울에는 눈이 **펄펄** 내려요.

여름이 좋아, 겨울이 좋아?

음······.

가을이 좋아요!

단풍이 예뻐서!

📖 뜻을 익혀요!

비가 **쏴** 내립니다.

물이 내려가거나 나오는 소리.

눈이 **펄 펄** 내립니다.

많은 눈이 내리는 모양.
/ 물이 끓는 모양.

'쏴'는 쌍시옷과 'ᅪ'가 합쳐진 말이에요. '솨'로 쓰면, '쏴'보다 약한 느낌을 나타낼 수 있어요. '펄펄'을 '벌벌'이나 '뻴뻴'로 쓰면 전혀 다른 뜻의 낱말이 되니 조심해요.

4 주

◆ 낱말을 따라 쓰며 익혀 보세요.

물을 아껴 써야 한다고 하셨지.

수돗물이 쏟아져요.

물이  끓고 있어요.

1 그림에 알맞은 낱말에 ◯표 하고, 빈칸에 바르게 쓰세요.

❶

쏴	/	쒸

샤워기에서 [ ] 물이 나옵니다.

❷

벌벌	/	펄펄

[ ] 눈이 옵니다.

❸

쩽쩽	/	쨍쨍

햇볕이 [ ], 땀은 뻘뻘!

2 밑줄 그은 낱말을 바르게 고쳐 쓰세요.

❶ 갑자기 바람이 **힝힝** 불었어요.

→ [ ]

❷ 먼저, **뻘뻘** 끓는 물을 준비해 주세요.

→ [ ]

◉ 사다리를 타고 내려가서 틀린 낱말을 알맞게 고쳐 쓰세요.

5일 받아쓰기

1 그림을 정확하게 나타낸 낱말에 ◯표를 하세요.

❶ 바람이 ｜ 쌩쌩 ｜ / ｜ 펄펄 ｜ .   ❷ 햇볕이 ｜ 쨍쨍 ｜ / ｜ 훨훨 ｜ .

2 낱말을 바르게 쓴 친구를 찾아 이름을 쓰세요.

병아리가 삐악삐악 울어요.

승원

오리가 꿱꿱 울어요.

지연

🖉 이름 쓰는 곳

3 알맞은 받침을 찾아 색칠하세요.

❶ 동생이 깡추깡추 뛰어요.

☐ ㅇ ㄴ

❷ 해바라기가 화짝 피었어요.

☐ ㄹ ㅁ

4 밑줄 그은 낱말이 바른 것에는 ◯표, 틀린 것에는 ✕표 하세요.

❶ 원숭이가 나무에 **대롱대롱** 매달려 있어요.

❷ 감동을 받아서 눈물이 **글성글성**해요.

❸ 비가 그치고 햇볕이 **쩽쩽** 나기 시작해요.

5 빈칸에 들어갈 말을 알맞게 이으세요.

❶ 바람이 [　　　] 불어요. ・

・ 휭휭
・ 활짝

❷ 고개를 [　　　] 흔들어요. ・

・ 절래절래
・ 절레절레

❸ 함박눈이 [　　　] 내려요. ・

・ 쏴
・ 펄펄

❹ 구름이 [　　　] 떠다녀요. ・

・ 뭉게뭉게
・ 뭉개뭉개

6 빈칸에 알맞은 낱말에 ○표 하고 빈칸에 바르게 쓰세요.

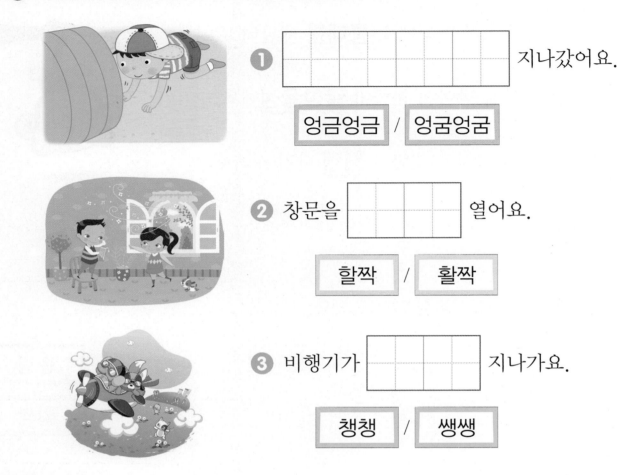

❶ [빈칸] 지나갔어요.

엉금엉금 / 엉굼엉굼

❷ 창문을 [빈칸] 열어요.

할짝 / 활짝

❸ 비행기가 [빈칸] 지나가요.

챙챙 / 쌩쌩

7 바르게 쓴 낱말이 있는 구슬을 3개 찾아 ○표 하세요.

꽥꽥 펄펄 횡횡 활작 훨훨 쌩생

◆ **문장을 잘 듣고 받아쓰세요.** (정답 15쪽의 문장을 불러 주시거나 QR을 찍어 들려주세요.)

❶

❷

❸

❹

❺

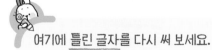
여기에 <u>틀린 글자</u>를 다시 써 보세요.

누구나 100점 TEST

1 다음 그림에 가장 잘 어울리는 말에 ○표 하시오.

(쨍쨍 / 횡횡)

2 다음 표의 빈칸에 들어갈 말은 무엇입니까? (   )

	멍멍
	야옹

① 피악피악   ② 삐악삐악

③ 삐악삐악   ④ 피약피약

⑤ 삐약삐약

3 흉내 내는 말을 잘못 쓴 것의 기호를 쓰시오.

> ㉠ 쨍쨍   ㉡ 데롱데롱

(   )

4 그림을 보고 밑줄 그은 낱말을 어울리는 낱말로 고쳐 쓰시오.

> 거북이 깡충깡충 기어갑니다.

(   )

5 알맞게 고친 낱말을 찾아 선으로 이으시오.

(1) 제잘제잘 •

• ㉠ 재잘재잘

• ㉡ 쩨잘쩨잘

(2) 쌩쌩 •

• ㉢ 셍셍

• ㉣ 쌩쌩

6 다음 빈칸에 들어갈 알맞은 말에 ○표 하시오.

안녕! 나는 □□□□ 울어.

(꿱꿱 / 꽥꽥)

7 다음을 알맞게 고쳐 쓰시오.

• 깡총깡총 → (　　　　　　　　)

8 다음 뜻에 알맞은 낱말을 보기 에서 찾아 쓰시오.

보기

절레절레　　펄펄　　쏴

(1) 눈이 많이 내리는 모양.

(　　　　　　　)

(2) 고개를 양옆으로 흔드는 모양.

(　　　　　　　)

9 흉내 내는 말 '쌩쌩'에 어울리는 그림은 어느 것입니까? (　　　)

① 　②

③ 　④

⑤

10 다음 낱말에 들어갈 알맞은 자음자를 찾아 선으로 이으시오.

(1) 엉그엉그 •　　• ㉠ ㄱ

(2) 쌔쌔 •　　• ㉡ ㅇ

(3) 활 짜 •　　• ㉢ ㅁ

보드 게임 퀴즈

알맞은 답에 ◯표 하며 미끄럼틀 끝까지 따라가 보세요.

시작

하늘에 구름이
뭉게뭉게
절레절레

연못의 오리가
깡충깡충
꽥꽥

구름 사이로 햇볕이

냄비 안의 끓는 물이
휭휭
쨍쨍

나무에
열매가

대롱대롱
재잘재잘

도로의
자동차가

휠휠
활짝

숲속의
새들이

쌩쌩
글썽글썽

펄펄
휭휭

눈에서
눈물이

글썽글썽
엉금엉금

끝

4
주

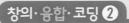
1 가운데 칸의 그림을 보고 글자를 2개 찾아 어울리는 낱말을 쓰세요.

쭝	충	총
강		깡
춍	캉	광

( ) ( )

2 보기 처럼 키보드의 낱자를 모아, 화면에 낱말을 써 보세요.

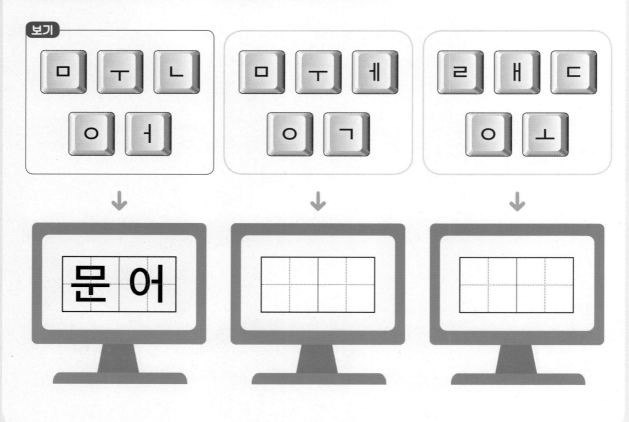

3 보기처럼 구슬을 꿰어 문장을 만들어 보세요.

보기

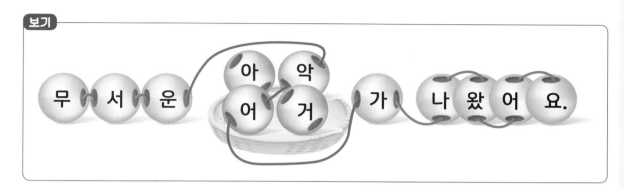

1

2

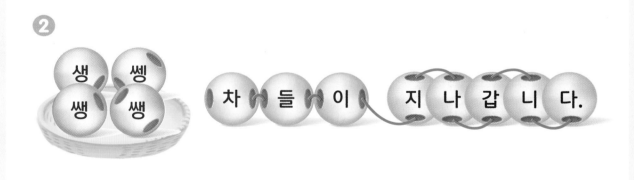

3

1

보기 처럼 구슬을 꿰어 문장을 만들어 보세요.

보기

| 보 | 물 | 을 | 묻 | 어 | 요. |

①

| 냄 | 비 | 가 | | | 끓 | 어 | 요. |

②

| 오 | 리 | 가 | | | 울 | 어 | 요. |

③

| 형 | 이 | | | | | 기 | 어 | 요. |

2 보기와 같이 알맞은 글자 조각을 찾아 ◯표 하세요.

보기

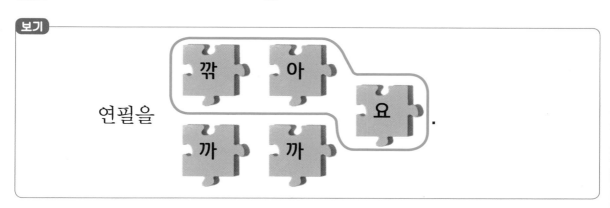

연필을

1 구름이

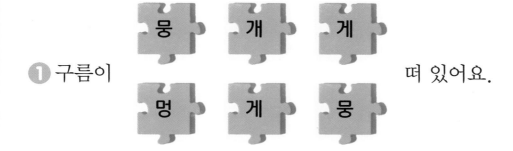

떠 있어요.

2 열매가

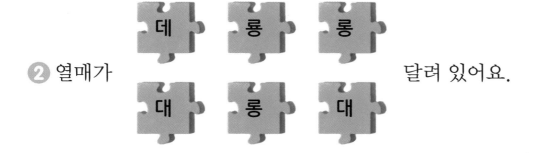

달려 있어요.

3

눈물이 나요.

memo

매일매일 쌓이는 국어 기초력

똑똑한 하루
독해&어휘&글쓰기

공부 습관 형성

10분이면 하루치 공부를 마칠 수
있어서 아이들 스스로 쉽게
학습할 수 있도록 구성

국어 기초력 향상

어휘는 물론 독해에서 글쓰기까지
초등 국어 전 영역을 책임지는
완벽한 커리큘럼으로 국어 기초력 향상

재미있는 놀이 학습

꼭 필요한 상식과 함께
창의적 사고력 확장을 돕는
게임 형식의 구성으로 즐겁게 학습

쉽다! 재미있다! 똑똑하다! 똑똑한 하루 시리즈
예비초~6학년 각 A·B (14권)

정답과 풀이

1 단계
A
1~2학년

천재교육

정답과 해설
포인트 **3**가지

▶ 부모님을 위한 지도·교수 방법 제시

▶ 혼자서도 이해할 수 있는 친절한 맞춤법 풀이

▶ 배운 어휘는 물론 참고 어휘, 보충 어휘까지 자세한 해설

10쪽

ㅙ ------- 돼지
ㅚ ------- 열쇠
ㅐ ------- 그네
ㅔ ------- 개미

11쪽

흰색   귀   의자

원숭이   무지개

1일 바르게 쓰기   16쪽

1
① (화분), 화 분
② (소화기), 소 화 기
③ (원숭이), 원 숭 이

2
① 사 과   ② 태 권 도

👨 이렇게 알려 주세요!

모음자 'ㅘ'는 'ㅗ'와 'ㅏ'가 합쳐져서 만들어진 것이고, 모음자 'ㅝ'는 'ㅜ'와 'ㅓ'가 합쳐져서 만들어졌어요. 소리를 내는 중간에 입술 모양이나 혀의 위치가 처음과 나중이 달라지므로 잘 듣고 맞춤법에 맞게 쓰도록 알려 주세요.

재미있게 하기   17쪽

2일 바르게 쓰기   22쪽

1
① 그 네   ② 베 개
③ 개 미, 베 짱 이

2
① 게   ② 제 비

👩 이렇게 알려 주세요!

모음자 'ㅐ'와 'ㅔ'는 소리 낼 때 거의 차이가 없어서 이 모음자가 들어간 낱말을 쓸 때 많이 헷갈려요. 책에 나온 낱말 외에도 주변에서 'ㅐ'와 'ㅔ'가 들어간 낱말을 많이 알려 주시고 아이가 실제로 써 보고 읽어 보면서 자연스럽게 익힐 수 있도록 도와주세요.

재미있게 하기   23쪽

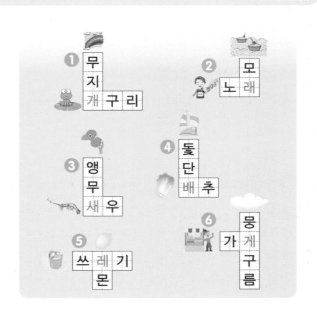

① 무지개구리
② 모노래
③ 앵무새우
④ 돛단배추
⑤ 쓰레기몬
⑥ 뭉게가구름

3일 **바르게 쓰기** 28쪽

1 ① 꽹과리, 꽹과리
② 참외, 참외
③ 최고, 최고

2 ① 왜 늦게 왔어?
② 파란불이 켜지면 횡단보도를 건너요.

이렇게 알려 주세요!

아이가 주변에서 자주 접하거나 친숙하게 느껴지는 낱말 중에서 '왜'가 들어간 낱말은 그 수가 비교적 적은 편이므로 어떤 낱말에 '왜'가 쓰였는지 잘 익힐 수 있도록 알려 주세요.

재미있게 하기 29쪽

4일 **바르게 쓰기** 34쪽

1 ① 주사위, 주사위
② 펭귄, 펭귄
③ 의사, 의사

2 ① 의자에 앉아요.
② 귀여운 다람쥐

이렇게 알려 주세요!

모음자 'ㅟ'와 'ㅢ'도 소리 낼 때 거의 차이가 없어서 이 모음자가 들어간 낱말을 쓸 때도 많이 헷갈려요. 모음자 'ㅢ'보다 'ㅟ'를 소리 낼 때 입술 모양이 좀 더 둥글게 모아진다는 것을 보여 주세요.

재미있게 하기 35쪽

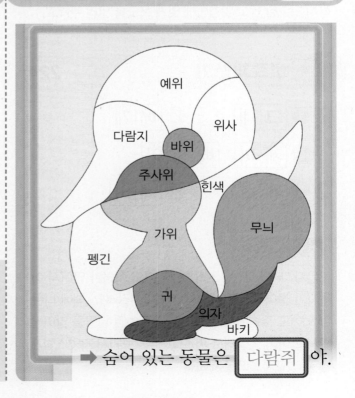

➡ 숨어 있는 동물은 다람쥐 야.

5일 받아쓰기 36~38쪽

1 ① 게 ② 베개 2 귀

3 ① 원숭이 ② 개미 ③ 가위

4 ① ○ ② X ③ ○ 5 나

6 ① 바퀴 ② 흰

7

출발 / 그내 / 배짱이 / 베짱이 / 그네 / 제비 / 재비 / 쓰래기 / 쓰레기 / 도착

8 ① 횡단보도, 횡단보도

② 바위, 바위

9 ① 왜가리 ② 꽃무늬

QR 받아쓰기 39쪽

① 왜 ∨ 우니 ?

② 그 네 를 ∨ 타 요 .

③ 노 래 를 ∨ 불 러 요 .

④ 열 쇠 로 ∨ 열 어 요 .

⑤ 귀 로 ∨ 들 어 요 .

이렇게 알려 주세요!

받아쓰기를 불러 주실 때에는 두 번씩 불러 주세요. 띄어 쓰기가 있는 곳에서는 잠시 쉬어 읽어서 띄어 쓰는 곳이라는 것을 알게 해 주세요. 한 번 불러 주시고 아이가 쓰는 속도를 본 후에 두 번째로 불러 주세요. 실제 학교에서 치르는 받아쓰기에서는 일정한 간격을 두고 불러 주는 경우가 많으므로 QR코드를 활용하여 듣고 받아쓰는 연습을 하는 것도 좋습니다.

1주 누구나 100점 TEST 40~41쪽

1 쓰 레 기

2 (1) 열쇠 (2) 횡단보도

3 ①

4 (1) ㉠ (2) ㉢ (3) ㉡

5 (돼지 / 되지), (다람지 / 다람쥐)

6 화 가

7 (1) 참왜 (2) 왼손
　　(X)　　(○)

8 ① ㉠ ② ㉣

9 ⑤　10 (1) 응원 (2) 예의

1주 특강 보드 게임 퀴즈 42~43쪽

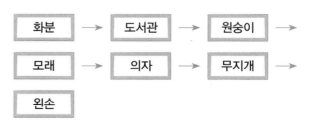

화분 → 도서관 → 원숭이 →

모래 → 의자 → 무지개 →

왼손

1주 특강 사고 쑥쑥 44쪽

1

(최고)

45쪽

2

3 암호

(화가 / 화분 / 과자)

1주 특강 논리 탄탄 46쪽

1 보기

귀여운 펭귄이 나왔어요.

❶ 혼자서 그네를 타요.

❷ 윗어른이에게 바르게 인사했어요.

❸ 여기는 도서관이에요.

47쪽

2

의사	참왜	바퀴	운동하
태권도	무늬	원숭이	소하기
무지개	응언	흰색	게구리

(ㅐ)

3 보기

↓ 제비

↓ 열쇠

↓ 의사

50쪽

ㄱ ····· 국어
ㄴ ····· 문어
ㄷ ····· 귀걸이
ㄹ ····· 닫아요

51쪽

악어   인어   군인

거북이   어린이

1일 바르게 쓰기 56쪽

1 ① 석유   ② 먹이

2 ① 국어, 국어

② 낙엽, 낙엽

③ 학용품, 학용품

👩 이렇게 알려 주세요!

ㄱ 받침 뒤에 ㅇ이 오는 낱말을 읽고 쓰는 활동입니다. 낱말에서 ㄱ 받침이 ㅇ까지 이어지는 것을 선으로 그리면서 읽어 주세요. 소리와 글자가 다르다는 것을 알고 바르게 쓸 수 있게 도와주세요.

재미있게 하기 57쪽

국어
구거
낙엽
나겹
목육   모곡
아거   악어

2일 바르게 쓰기 62쪽

1 ① 군인, 군인   ② 한옥, 한옥

③ 인어, 인어

2 ① 강을 헤엄치는 여너 연어

② 5월 5일은 어리니날 어린이날

🧑 이렇게 알려 주세요!

ㄴ 받침 뒤에 ㅇ이 오는 낱말을 읽고 쓰는 활동입니다. 낱말에서 ㄴ 받침이 ㅇ까지 이어지는 것을 선으로 그리면서 읽어 주세요. 소리와 글자가 다르다는 것을 알고 꾸준히 쓸 수 있게 도와주세요.

재미있게 하기 63쪽

어린이   연어   글쓴이   하녹

한옥

3일 바르게 쓰기 68쪽

1 ① – 묻어

② – 돋아

③ – 받아

2 ① – 믿음, 믿음

② – 낟알, 낟알

이렇게 알려 주세요!

ㄷ 받침 뒤에 ㅇ이 오는 낱말을 읽고 쓰는 활동입니다. 낱말에서 ㄷ 받침이 ㅇ까지 이어지는 것을 선으로 그리면서 낱말을 읽어 주세요. '낟알'이 무엇인지 교재에 있는 그림을 보며 아이의 어휘력도 함께 키워 주세요.

재미있게 하기 69쪽

4일 바르게 쓰기 74쪽

1 ① 꿈은

② 춤을

2 ① 얼음

② 할아버지

③ 걸음

이렇게 알려 주세요!

ㄹ, ㅁ 받침 뒤에 ㅇ이 오는 낱말을 읽고 쓰는 활동입니다. 낱말에서 ㄹ, ㅁ 받침이 ㅇ까지 이어지는 것을 선으로 그리면서 낱말을 읽어 주세요. '귀걸이'는 '귀고리'라고도 합니다. 다양한 어휘도 함께 지도해 주세요.

재미있게 하기 75쪽

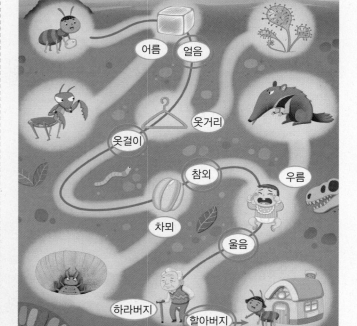

5일 받아쓰기 76~77쪽

1 ① 악어 ② 낙엽 2 ㄱ

3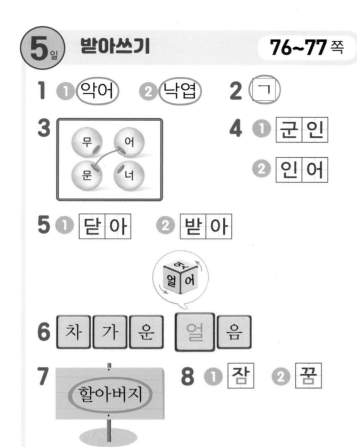

4 ① 군인 ② 인어

5 ① 닫아 ② 받아

6 차 가 운 얼 음

7 할아버지 8 ① 잠 ② 꿈

QR 받아쓰기 79쪽

① 국어를 ∨ 배워요.
② 우리는 ∨ 어린이.
③ 창문을 ∨ 닫아요.
④ 얼음이 ∨ 녹아요.
⑤ 밤에 ∨ 잠을 ∨ 자요.

이렇게 알려 주세요!

앞에서 배운 내용을 일러 주며 받아 쓸 내용을 읽어 주세요. 받침이 있는 낱말을 또박또박 읽어 주시되, [국], [어]와 같이 한 글자씩 읽지 말고 [구거]로 붙여서 읽어 주세요.

2주 누구나 100점 TEST 80~81쪽

1 ㄷ 2 귀걸이

3 (1) 꿈을 (2) 먹이를 4 ④

5 (1) 목욕 (2) 걷어

6 학용품 / 합용품   한옥 / 하녹

7 ② 8 악어, 거북이

9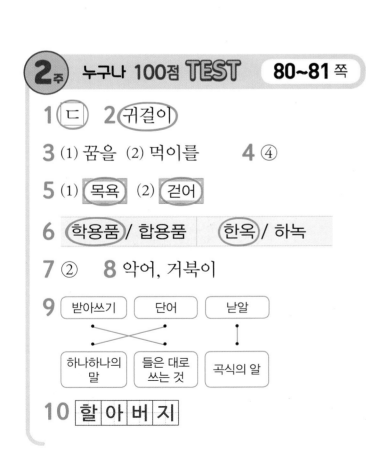

받아쓰기 ─ 들은 대로 쓰는 것
단어 ─ 하나하나의 말
낱말 ─ 곡식의 알

10 할 아 버 지

2주 특강 보드 게임 퀴즈 82~83쪽

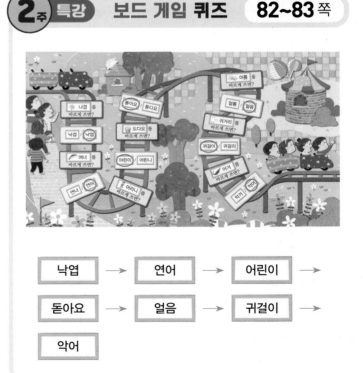

낙엽 → 연어 → 어린이 →
돋아요 → 얼음 → 귀걸이 →
악어

2주 특강 사고 쑥쑥 84쪽

1

밤에는 꿈 을 꾸며 잡니다.

친구와 학 용 품 을 정리해요.

85쪽

2

밑음	문어	글쓴이	한우
이너	낙엽	아거	하공품
어름	목욕	귀걸이	석유

(ㄷ)

3

보기 할아버지, 묻어요, 귀걸이, 돋아요

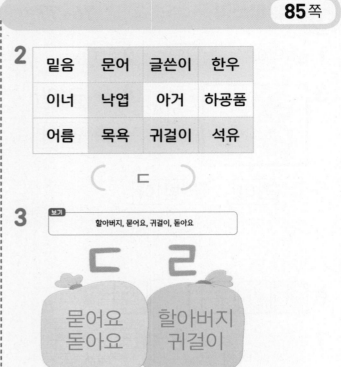

ㄷ — 묻어요 돋아요

ㄹ — 할아버지 귀걸이

2주 특강 논리 탄탄 86쪽

1

87쪽

2

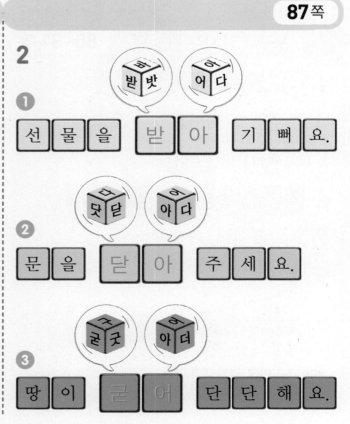

① 선 물 을 받 아 기 뻐 요.

② 문 을 닫 아 주 세 요.

③ 땅 이 굳 어 단 단 해 요.

90쪽

- 이를 닦아요
- 함께 웃어요
- 옷을 입어요
- 그릇을 깨끗이

91쪽

김밥　튀김　순대

어묵　떡볶이

1일 바르게 쓰기　96쪽

1 ❶ (입어요), 입어요
　❷ (깨끗이), 깨끗이
　❸ (입원), 입원

2 ❶ 공을 잡아요. ❷ 옷을 말려요.

 이렇게 알려 주세요!

'ㅂ'과 'ㅅ' 받침 뒤에 'ㅇ'이 오는 낱말을 읽고 쓰는 활동입니다. '옷이, 옷에, 옷을, 옷의'와 같이 여러 가지 예를 들어 읽고 쓰는 연습을 해 주세요.

재미있게 하기　97쪽

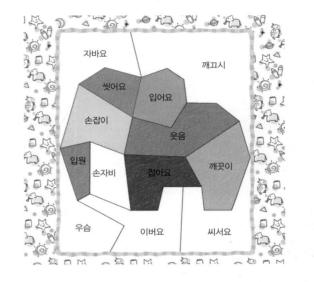

2일 바르게 쓰기　102쪽

1 ❶ 달맞이
　❷ 쫓아요
　❸ 젖은

2 ❶ (숯으로) 불을 피워요.
　❷ 여름에는 (낮이) 길고, 겨울에는 밤이 길어요.

 이렇게 알려 주세요!

'ㅈ'과 'ㅊ' 받침 뒤에 'ㅇ'이 오는 낱말을 읽고 쓰는 활동입니다. 소리와 글자가 다르다는 것을 알고 아이가 반복 학습할 수 있게 도와 주세요.

재미있게 하기　103쪽

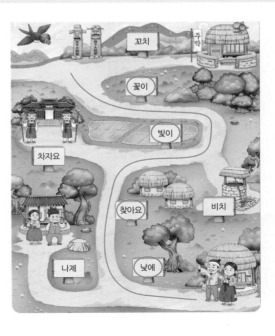

3일 바르게 쓰기 108쪽

1. ① 높은
   ② 같은
   ③ 앞이

2. ① 깊은 바닷속
   ② 꽃향기를 맡아요.

 이렇게 알려 주세요!

'ㅍ'과 'ㅌ' 받침 뒤에 'ㅇ'이 오는 낱말을 읽고 쓰는 활동입니다. 낱말을 소리 나는 대로 쓰면 이해하기 힘들기 때문에 바르게 써야 한다는 것을 알려 주세요.

재미있게 하기 109쪽

4일 바르게 쓰기 114쪽

1. ① 있어요
   ② 겪은
   ③ 재미있어서

2. ① 맛있는 떡볶이
   ② 이제 집에 갔으면 좋겠어요.

 이렇게 알려 주세요!

'ㄲ'과 'ㅆ' 받침 뒤에 'ㅇ'이 오는 낱말을 읽고 쓰는 활동입니다. 낱말에서 'ㄲ'과 'ㅆ' 받침이 'ㅇ'까지 이어지는 것을 선으로 그리면서 낱말을 읽어 주세요.

재미있게 하기 115쪽

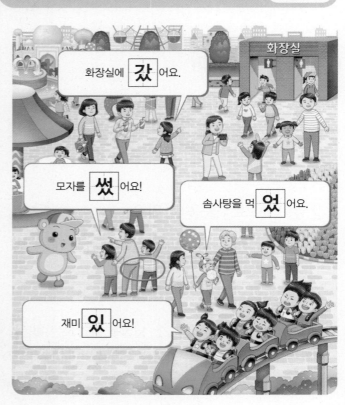

5일 받아쓰기 116~118쪽

1 ① 손잡이 　② 높은 파도

2 ① 붙어 　② 앞으로

3 같아요

4

떡볶이 / 기뻐 / 쫓아 / 썼어 / 달맞이 / 깨끄시 / 이불

5 ① 잡은(○) 　② 우슴(✕)

6 ① 꽃에, 꽃 에

　② 갔어요, 갔 어 요

7

① 냄새를 맡 아 요.

② 겪 은 일

③ 찾 은 돈

④ 물이 있 어 요.

QR 받아쓰기 119쪽

① 입 원 을 ∨ 했 어 요.

② 꽃 이 ∨ 피 었 어 요.

③ 떡 볶 이 가 ∨ 맛 있 어.

④ 손 톱 을 ∨ 깎 았 어 요.

⑤ 낮 에 ∨ 일 어 났 어 요.

3주 누구나 100점 TEST 120~121쪽

1 깨끄시 　**2** 달맞이 　**3** (1) ㄹ (2) ㄴ

4 별빛이 　**5** ㄱ 　**6** 떡볶이

7 (1) ㄱ (2) ㄴ (3) ㄴ (4) ㄱ 　**8** 앞으로

9 (3) ✕ 　**10** (1) 같다 (2) 맡다

풀이

3 ㅈ 받침을 넣어 '젖어요', '찾아요'로 고칩니다.

4 ㅊ 받침을 넣어, '별빛이'로 고칩니다.

7 '붙어요', '높아요', '깊어요', '맡아요'와 같이 쓸 수 있습니다.

8 ㅍ 받침이 들어간 '앞으로'가 알맞습니다.

9 '갔어요'와 같이 ㅆ 받침을 넣어야 합니다.

10 '서로 다르지 않다'는 '같다', '코로 냄새를 느끼다'는 '맡다'의 뜻입니다.

3주 특강 보드 게임 퀴즈 122~123쪽

손잡이 → 웃음 → 옷이 →

→ 낮에 → 꽃이 → 빛이

→ 앞으로 → 높아요

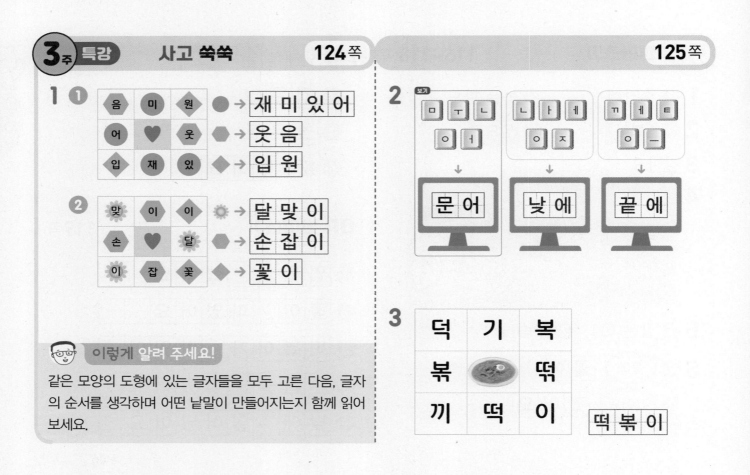

3주 특강 사고 쑥쑥 124쪽

1 ❶

음	미	원	● →	재미있어
어	♥	웃	⬡ →	웃음
입	재	있	◆ →	입원

❷

맞	이	이	☀ →	달맞이
손	♥	달	⬡ →	손잡이
이	잡	꽃	◆ →	꽃이

이렇게 알려 주세요!

같은 모양의 도형에 있는 글자들을 모두 고른 다음, 글자의 순서를 생각하며 어떤 낱말이 만들어지는지 함께 읽어 보세요.

125쪽

2 보기

| ㅁ | ㅜ | ㄴ |
| 이 | 어 | |

↓

| 문 | 어 |

| ㄴ | ㅐ | |
| 이 | ㅈ | |

↓

| 낮 | 에 |

| ㄲ | ㅔ | ㅌ |
| 이 | ㅡ | |

↓

| 끝 | 에 |

3

덕	기	복
복	🍲	떡
끼	떡	이

| 떡 | 볶 | 이 |

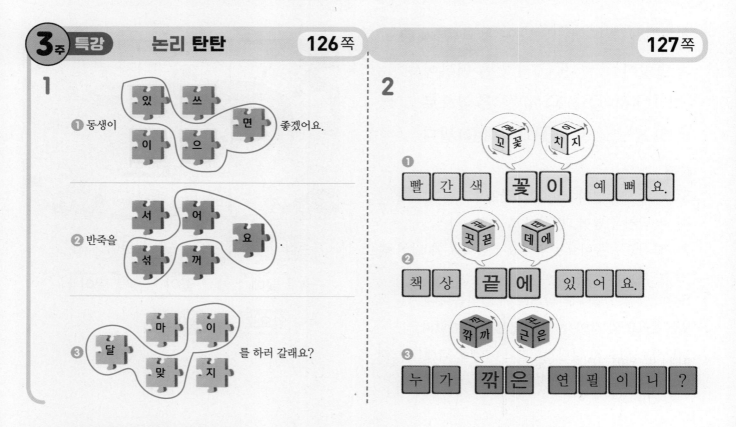

3주 특강 논리 탄탄 126쪽

1

❶ 동생이 [있 쓰 이 으 면] 좋겠어요.

❷ 반죽을 [서 어 요 섞 꺼] .

❸ 달 [마 이 맞 지] 를 하러 갈래요?

127쪽

2

❶ 빨간색 꽃이 예뻐요.

❷ 책상 끝에 있어요.

❸ 누가 깎은 연필이니?

130쪽

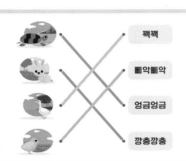

꽥꽥

삐악삐악

엉금엉금

깡충깡충

131쪽

대롱대롱 / 훨훨 / 뭉게뭉게 / 쌩쌩 / 글썽글썽

1일 바르게 쓰기   136쪽

1 ❶ 대롱대롱, 대 롱 대 롱

❷ 절레절레, 절 레 절 레

❸ 뭉게뭉게, 뭉 게 뭉 게

2 ❶ 재 잘 재 잘

❷ 대 롱 대 롱

이렇게 알려 주세요!

'대롱대롱'에는 모음자 'ㅐ'가 들어가고, '절레절레'와 '뭉게뭉게'에는 모음자 'ㅔ'가 들어가요.

재미있게 하기   137쪽

2일 바르게 쓰기   142쪽

1 ❶ 훨훨, 훨 훨

❷ 활짝, 활 짝

❸ 쌩쌩, 쌩 쌩

2 ❶ 글 썽 글 썽   ❷ 쌩 쌩

이렇게 알려 주세요!

흉내 내는 말에 들어가는 모음자 'ㅐ', 'ㅝ', 'ㅘ' 등을 정확하게 소리 내어 읽어 볼 수 있도록 도와주세요.

재미있게 하기   143쪽

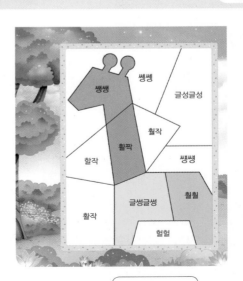

동물의 이름은 [기린]입니다.

3일 바르게 쓰기 148쪽

1 ① (깡충깡충), 깡 충 깡 충
  ② (엉금엉금), 엉 금 엉 금
  ③ (꽥꽥), 꽥 꽥

2 ① 삐 악 삐 악
  ② 깡 충 깡 충

👨 이렇게 알려 주세요!

'깡충깡충'을 '깡총깡총'이라고 하면 틀리고, '삐악삐악'을 '삐약삐약'이라고 하면 틀린다는 점을 알려 주세요. '꽥꽥'에는 모음자 'ㅙ'가 들어가고, ㄱ 받침을 써야 한다고 알려 주세요.

재미있게 하기 149쪽

보기

| 꽥꽥 | 삐악삐악 | 깡충깡충 | 엉금엉금 |

4일 바르게 쓰기 154쪽

1 ① (쏴), 쏴
  ② (펄펄), 펄 펄
  ③ (쨍쨍), 쨍 쨍

2 ① 휭 휭
  ② 펄 펄

👩 이렇게 알려 주세요!

'펄펄'에는 두 가지 뜻이 있으므로 예문을 함께 읽으며 익숙해질 수 있게 도와주세요. 그리고 흉내 내는 말에 들어가는 모음자 'ㅘ', 'ㅟ'를 정확하게 쓸 수 있게 알려 주세요.

재미있게 하기 155쪽

5일 받아쓰기 156~158 쪽

1 ① 쌩쌩 ② 쨍쨍

2 승원

3 ① ㅇ ② ㄹ

4 ① ○ ② X ③ X

5 ① 휭휭 ② 절레절레
  ③ 펄펄 ④ 뭉게뭉게

6 ① 엉금엉금, 엉금엉금
  ② 활짝, 활짝
  ③ 쌩쌩, 쌩쌩

7

QR 받아쓰기 159 쪽

① 문을 ∨ 활짝 ∨ 열래?

② 눈이 ∨ 펄펄 ∨ 내려.

③ 병아리가 ∨ 삐악삐악.

④ 대롱대롱 ∨ 매달려.

⑤ 비가 ∨ 쏴 ∨ 내려요.

4주 누구나 100점 TEST 160~161 쪽

1 쨍쨍 2 ③ 3 ㉡ 4 엉금엉금

5 (1) ㉠ (2) ㉣ 6 꽥꽥 7 깡충깡충

8 (1) 펄펄 (2) 절레절레 9 ⑤

10 (1) ㉢ (2) ㉡ (3) ㉠

풀이

1 햇볕이 '쨍쨍' 비치고 있습니다.

3 '대롱대롱'이라고 써야 알맞습니다.

5 '재잘재잘', '쌩쌩'으로 고쳐야 알맞습니다.

7 '깡충깡충'이라고 고쳐야 알맞습니다.

8 눈이 내리는 모습에는 '펄펄', 고개를 양옆으로 흔드는 모습에는 '절레절레'를 씁니다.

9 그림 ⑤에서 차가 '쌩쌩' 지나갑니다.

4주 특강 보드 게임 퀴즈 162~163 쪽

뭉게뭉게 → 대롱대롱 →

쌩쌩 → 휠휠 → 꽥꽥 →

쨍쨍 → 펄펄 → 글썽글썽

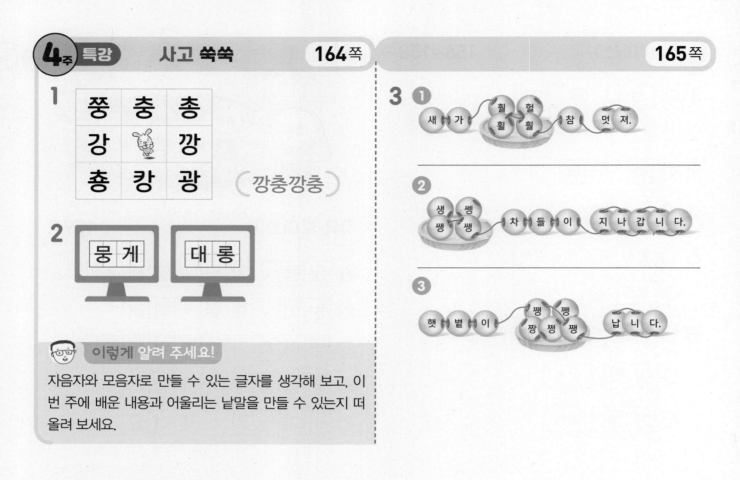

1

쭝	충	총
강	🐰	깡
춍	캉	광

(깡충깡충)

2

뭉	게

대	롱

이렇게 알려 주세요!

자음자와 모음자로 만들 수 있는 글자를 생각해 보고, 이번 주에 배운 내용과 어울리는 낱말을 만들 수 있는지 떠올려 보세요.

3

❶ 새 가 휠 휠 헐 휠 참 멋 져.

❷ 생 쎙 쎙 쎙 차 들 이 지 나 갑 니 다.

❸ 햇 볕 이 쨍 쪵 쨍 쪵 쨍 납 니 다.

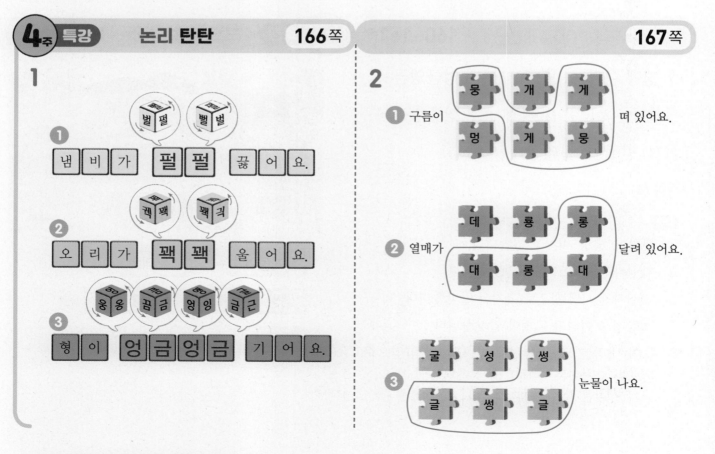

1

❶ 냄 비 가 **펄 펄** 끓 어 요.

❷ 오 리 가 **꽥 꽥** 울 어 요.

❸ 형 이 **엉 금 엉 금** 기 어 요.

2

❶ 구름이 뭉 개 게 / 멍 게 뭉 떠 있어요.

❷ 열매가 데 룡 롱 / 대 롱 대 달려 있어요.

❸ 굴 성 쎙 / 글 썽 글 눈물이 나요.

정답은
이안에
있어!

배움으로 행복한 내일을 꿈꾸는
천재교육 커뮤니티 안내

. . .

교재 안내부터 구매까지 한 번에!
천재교육 홈페이지

천재교육 홈페이지에서는 자사가 발행하는 참고서,
교과서에 대한 소개는 물론 도서 구매도 할 수 있습니다.
회원에게 지급되는 별을 모아 다양한 상품 응모에도
도전해 보세요.

구독, 좋아요는 필수! 핵유용 정보 가득한
천재교육 유튜브 <천재TV>

신간에 대한 자세한 정보가 궁금하세요?
참고서를 어떻게 활용해야 할지 고민인가요?
공부 외 다양한 고민을 해결해 줄 채널이 필요한가요?
학생들에게 꼭 필요한 콘텐츠로 가득한 천재TV로 놀러 오세요!

다양한 교육 꿀팁에 깜짝 이벤트는 덤!
천재교육 인스타그램

천재교육의 새롭고 중요한 소식을 가장 먼저 접하고 싶다면?
천재교육 인스타그램 팔로우가 필수!
누구보다 빠르고 재미있게 천재교육의 소식을 전달합니다.
깜짝 이벤트도 수시로 진행되니 놓치지 마세요!